Eine kleine Stadt in Bayern: Landsberg am Lech. Ein Ort wie jeder andere und zugleich Schauplatz der großen Geschichte. Hier schreibt Hitler während seiner Festungshaft 1923/24 «Mein Kampf», 1944/45 werden etwa 30 000 KZ-Häftlinge als Zwangsarbeiter in einem geheimen Rüstungsprojekt eingesetzt. 1945 finden die amerikanischen Befreier in den Lagern und Massengräbern Tausende von Toten. Sie errichten in Landsberg ein großes Displaced Persons Camp für die Überlebenden des Holocaust. Hinter Stacheldraht entsteht auf engstem Raum eine vielsprachige Stadt in der Stadt. In unmittelbarer Nähe der Opfer sitzen die Täter – die Festungshaftanstalt wird zum Kriegsverbrechergefängnis. Die Bundeswehr übernimmt die NS-Rüstungsbauten, das Leben in der kleinen Stadt geht weiter.
Während der ganzen Zeit ist in Landsberg fotografiert worden – zur privaten Erinnerung, politischen Propaganda oder zur Dokumentation für die Nachwelt, von Profis und Amateuren, von amerikanischen Befreiern, internationalen Beobachtern und Einheimischen.

Dieses Buch zeigt mit 150 von den Herausgebern Martin Paulus, Edith Raim und Gerhard Zelger ausgewählten und in intensiven Recherchen zusammengetragenen Fotografien, wie eine kleine Stadt die große Geschichte erlebt. In der Chronik Landsbergs verdichten sich lokale und internationale Ereignisse zu einer bewegenden Ansicht des 20. Jahrhunderts.
Offizielle und private Fotos aus Archiven und Familienalben zeigen die Erinnerungen an einen Ort und eine Zeit in ihrer Vielschichtigkeit. John Berger und Nella Bielski korrespondieren in einem Essay zu diesen Fotos über «Gedächtnis. Schweigen», die Historikerin Edith Raim erläutert die geschichtlichen Zusammenhänge. Der Band enthält überdies eine Auswahl aus den 1945 entstandenen Briefen, die der damalige Leiter des Displaced Persons Camp, Irving Heymont, an seine Frau in den USA schrieb, und ein Geleitwort des im DP-Camp Landsberg geborenen Historikers Abraham J. Peck.

EIN ORT WIE JEDER ANDERE

Bilder aus einer deutschen Kleinstadt.
Landsberg 1923–1958

Herausgegeben von
Martin Paulus / Edith Raim / Gerhard Zelger

Rowohlt

Originalausgabe / Veröffentlicht im Rowohlt Taschenbuch Verlag GmbH / Reinbek bei Hamburg,
April 1995 /
Lektorat: Barbara Wenner / Layout: Iris Farnschläder / Umschlaggestaltung: Martin Paulus
(Fotos: «Haftentlassung Hitlers aus der Festungshaftanstalt Landsberg am 20. 12. 1924», Heinrich Hoffmann / National Archives und Records Administration [NARA], Washington D.C., 242-HMA-1454 und «Purim Parade at the Landsberg Displaced Persons Camp, 1946» / Beth Hatefutsoth Photo Archive, Zvi Kadushin Collection, Tel Aviv) / Karten S. 222/223: Jörg Mahlstedt / Satz: Joanna und Franklin Gothic PostScript, QuarkXPress 3.3 / Lithografie: Grafische Werkstatt Chr. Kreher, Hoisdorf
Gesamtherstellung: Clausen & Bosse, Leck / Printed in Germany / 2990-ISBN 3 499 19913 0

Übersetzungen:
John Berger – Hans Jürgen Balmes
Nella Bielski – Tatjana Michaelis
Irving Heymont und Abraham J. Peck – Susanne Klockmann

Schriftenreihe des Fritz-Bauer-Instituts, Frankfurt am Main
Studien- und Dokumentationszentrum zur Geschichte und Wirkung des Holocaust, Band 9.

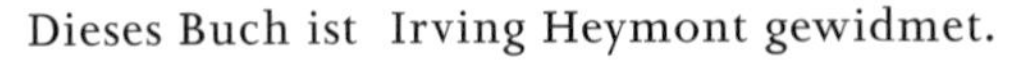

Dieses Buch ist Irving Heymont gewidmet.

Major Irving Heymont, der erste Leiter des DP-Camps (4. von links) und David Ben Gurion, der Vorsitzende der Jewish Agency for Palestine. Der spätere israelische Ministerpräsident, der die damals illegale Einreise jüdischer Flüchtlinge in das unter britischem Mandat stehende Palästina organisiert, besucht Landsberg am 21. 10. 1945.

Abraham J. Peck

Notes of a Native Landsberg Son.

Anmerkungen eines geborenen Landsbergers.

Sowohl für Juden als auch für Deutsche ist Familiengeschichte ein Hindernis. Für Deutsche bleibt sie die große Scheidelinie zwischen Schweigen und Dialog. Sie ist ein kranker Zweig unter den vielen Ästen der allzu häufigen *Stammbäume*.

Jeder gutmeinende Deutsche, der eine offene Diskussion deutsch-jüdischer Beziehungen (und davon gibt es ziemlich viele) anstrebt, wird fast immer auf Tränen oder Schweigen zurückgeworfen, wenn die unausweichliche Frage gestellt wird: «Was hat dein Vater oder Großvater während des Zweiten Weltkriegs getan?» Zu antworten, er sei Angehöriger der Wehrmacht gewesen, reicht heute nicht mehr: daß die in vorderster Linie kämpfenden Truppen zusammen mit den Rassenideologen der SS an der Ermordung der Juden beteiligt waren, ist mittlerweile bewiesen.

Noch entwaffnender ist die Frage: «Was wußten deine Eltern oder Großeltern über die ‹Endlösung›, die planmäßige Vernichtung jüdischen Lebens in Europa?» Die Antwort zeugt oft von echter Unwissenheit. In den Jahren nach 1945 wurde in den meisten deutschen Familien über diese Frage nicht viel gesprochen.

Aber wir wissen mittlerweile, daß viele mehr über die Ereignisse wußten, als sie vorgaben. Sie wußten, was mit den jüdischen Familien geschah, die eines guten Tages plötzlich aus ihrer Wohnung verschwanden und niemals zurückkehrten. Sie wußten davon, weil ihre Väter, Ehemänner, Söhne und Brüder die «*Geheime Reichssache*», das Staatsgeheimnis, als das die «Endlösung» immer behandelt werden sollte, nicht für sich behalten konnten. In Briefen von der Front und aus dem Konzentrationslager oder wenn sie auf Fronturlaub zu Hause waren, erzählten diese Männer – manchmal im Rausch und von schrecklichen Schuldgefühlen begleitet – viel von dem, was im

«Osten» des von den Nazis besetzten Europa mit den Juden geschah.

Doch Familiengeschichte ist auch ein Problem für die Nachkommen der Überlebenden des Holocaust. Oft leben sie wie im Auge des Hurrikans. Sie sind umgeben von den Schatten des Holocaust. Sie wuchsen in dem Wissen auf, daß der Holocaust einen Teil ihres Wesens ausmacht, aber sie wußten nicht, warum. Viele haben kaum danach gefragt, was ihre Eltern erlitten haben und warum sie keine Großeltern, Onkel und Tanten hatten. Die Kinder von Überlebenden fürchten das Trauma, das sich in den Antworten ihrer Eltern offenbart.

Ich bin eines dieser Kinder. Doch ich habe gefragt und erfuhr schon als kleiner Junge, daß es für die Abwesenheit meiner Onkel, Tanten und Cousins einen Grund gab. Ihre Ermordung im Holocaust machte mir bewußt, wieviel Glück andere Kinder hatten – diejenigen, die außerhalb der Welt geboren waren, die meine Familie zerstört hatte.

Mein Vater war besessen von dem, was er in den Jahren des Holocaust, von 1940 bis 1944 im Ghetto Lodz, bei seiner Gefangenschaft in Lagern wie Skarzysko-Kamienna, Buchenwald und bei seiner Befreiung aus Theresienstadt, erlebt hatte. Ich wußte schon früh, wer die Peiniger meines Vaters gewesen waren.

In gewisser Weise erschien mir dieses makabre Ensemble von Nazi-Wächtern, Kommandanten und Ärzten realer als die schattenhaften Figuren der ermordeten Mitglieder meiner Familie.

Da gab es Paul Kuhnemann, einen lahmen, zwergenhaften Mann, der als Kommandant des Arbeitslagers A in Skarzysko-Kamienna jüdische Gefangene zum Spaß erschoß und seinem *Schäferhund* erlaubte, sie in Stücke zu reißen. Es gab den Lagerarzt in Buchenwald, der zu meinem Vater anständig war. Als mein Vater sich sicher genug fühlte, ihn zu fragen, warum die Deutschen die Juden vernichteten, durchlief ihn eine Welle der Wut und des Zorns, und er antwortete: «Weil die Juden eine überflüssige Rasse sind, von Gott vergessen!»

Ich glaube, mein Vater wollte für diese Horrorgeschichten, die mir oft Alpträume bereiteten, durch weniger grausame Geschichten einen Ausgleich schaffen. Er erzählte mir von einigen anständigen Deutschen, die er getroffen hatte. Das waren meist ältere Männer, die ihn bewachten. Manchmal gaben sie ihm eine Extraration und damit einen Grund, an sein Überleben zu glauben.

Er erzählte mir auch von meinem Geburtsort, Landsberg am Lech in Bayern. Er erzählte mir, wie er und meine Mutter im September 1943 im Ghetto Lodz geheiratet hatten, sechs Monate darauf getrennt wurden und sich im Mai 1945 in Theresienstadt wiederfanden. Meine Mutter hatte Auschwitz, Stutthof, die Bombenangriffe auf Dresden und ein Außenlager von Mauthausen überlebt. Sie schlugen sich bis zur amerikanisch besetzten Zone Deutschlands durch und kamen am 22. August 1945 in Landsberg an. Am 4. Mai 1946 wurde ich als eines der ersten Kinder im Camp geboren. Meine Eltern und ich wohnten im jüdischen DP-Camp Landsberg, bis wir im Dezember 1949 in die Vereinigten Staaten auswanderten.
Und in diesem DP-Camp fand ich Ersatz für meine jüdische Familie. Auch wenn ihre Namen nur vor dem Schlafengehen erwähnt wurden, so kannte ich sie doch genau: Dr. Nabriski, der mich zur Welt gebracht hatte, Ingenieur Olejski, der die ORT-Berufsschule* in Landsberg leitete, Dr. Samuel Gringauz, den Leiter des Camp Committee, der für seinen brillanten Intellekt bewundert wurde, und den amerikanischen Militärkommandanten des Landsberger DP-Camps, Irving Heymont, von dem mein Vater glaubte, daß er ein Christ sei, von dem er aber sagte, daß er ein «jüdisches Herz» habe.
Mein Vater erzählte mir Geschichten aus dieser Zeit, als er als Hausierer in der Umgebung von Landsberg arbeitete. Er erzählte von seinen Fahrten nach Kaufering, Igling, Hurlach, Windach, Schwabmünchen, die alle in der Nähe von Landsberg lagen, und den Reisen nach Schweinfurt, das weiter weg war.
Oft verbrachte er die Nacht bei einer deutschen Familie, und er konnte nicht mehr schlafen, wenn er ein im Schrank hängendes Hakenkreuz sah oder eine Ausgabe von *Mein Kampf*, die immer noch im Wohnzimmerregal stand.
Aber trotz dieses Wissens war Landsberg für mich nur ein Name, kein konkreter Ort. Ich konnte mir kein Bild machen von dem DP-Camp, in dem ich geboren worden und das eines der größten im besetzten Deutschland gewesen war und bis zum 15. Oktober 1950 bestand. Ich erinnerte mich nur an die Schwäne, die auf

* ORT: Organization for Rehabilitation through Training. Jüdische Selbsthilfeorganisation, die sich um die handwerkliche und landwirtschaftliche Berufsausbildung der KZ-Überlebenden kümmerte.

dem Lech schwammen. Landsberg war, wie mir ein anderes im Camp geborenes Kind sagte, ein «Ort des Geheimnisses und des Umschwungs, ein Ort, der tatsächlich existierte und auch Legende war».

An einem kalten Wintermorgen des Jahres 1971 – ich war Doktorand in England und hatte Ferien – nahm ich einen Zug nach Landsberg. Ich hatte mich entschieden, «nach Hause» zu fahren.

Damals wußte ich nicht, was ich heute weiß: daß die Stadt Landsberg ihre «schmutzigen kleinen Geheimnisse» nicht öffentlich machen wollte. Sie kümmerte sich nicht darum, daß sie die «Stadt der deutschen Jugend» und nach München und Nürnberg die drittwichtigste Stadt in der Nazi-Hierarchie gewesen war. Ich wußte nicht, daß dort – fast ein halbes Jahrhundert vor meinem Besuch – Adolf Hitler seinem treuen Sekretär Rudolf Heß den größten Teil von *Mein Kampf* diktiert hatte, als er im Gefängnis der Festung Landsberg einsaß. Ich wußte nicht, daß dieses Gefängnis in den Jahren nach 1945 das «War Criminal Prison Number 1» wurde und so bedeutende Namen wie Krupp von Bohlen und Halbach, Flick und von Weizsäcker und die weniger bekannten, aber letztlich berüchtigteren wie Otto Ohlendorf und Paul Blobel beherbergte. Und ich wußte nicht, daß es in Landsberg und seiner Umgebung eine Reihe von Außenlagern von Dachau gegeben hatte, Orte, an denen Tausende jüdischer Zwangsarbeiter gestorben waren bei dem fehlgeschlagenen Versuch, die vernichtende Niederlage Deutschlands aufzuhalten.

Ich wollte nur sehen, wo ich geboren worden war. Ein Besuch im Rathaus brachte keine Ergebnisse. Der Ort, den ich besuchen wollte, war gesperrt, zugänglich nur für die Deutsche Bundeswehr. Enttäuscht verließ ich die Stadt.

Nach diesem mißlungenen Besuch sah ich die Stadt fast zwei Jahrzehnte nicht wieder. Aber 1989 bat mich Major Irving Heymont, an den sich mein Vater wegen seines «jüdischen Herzens» erinnerte und der tatsächlich Jude war, bei einer Zeremonie zu sprechen. Eine Gedenktafel sollte am Eingang einer Militärkaserne, die einmal das jüdische DP-Camp gewesen war, angebracht werden. Bei diesem Besuch in Landsberg lernte ich viele faszinierende Menschen kennen und erkannte die Bilder, die Geräusche und die Geschichte von Landsberg wieder. Seit meinem ersten Besuch in der Stadt hatte ich mich viel mit der Geschichte der jüdischen DPs und ihrer Camps, in denen viele von ihnen zwischen 1945 und den frühen fünfziger Jahren lebten, beschäftigt.

Und ich erfuhr mehr über die Mächte, die diese kleine Stadt in Bayern mit einer Geschichte ausstatten, die – wie mir einer ihrer Bürger sagte – «für eine Stadt dieser Größe einfach zuviel ist». Es gibt wohl keine andere Stadt in Deutschland, die wegen ihrer nationalsozialistischen Vergangenheit eine ähnlich große Last zu tragen hat. Dies gilt auch für das nahe Passau, bekannt durch den Film «Das schreckliche Mädchen».

Fünfzig Jahre nach dem Ende des Holocaust ist die Zeit für einen Dialog zwischen den jüdischen und deutschen Generationen nach dem Holocaust gekommen. Nicht als Mittel zu einer irgendwie gearteten *Versöhnung*. Denn ein solcher Prozeß kann und sollte weder heute noch in der näheren Zukunft stattfinden. Zu viel bleibt unausgesprochen und ungelöst zwischen Deutschen und Juden, als daß es mehr als den Versuch geben könnte, die Last zu verstehen, die die Jahre des Holocaust beiden Gruppen auferlegt hat.

Auf seine Weise ist dieser Band mit Fotografien ein Versuch, sich der Familiengeschichten sowohl der Deutschen als auch der Juden anzunähern. Wenn beide Gruppen die Last dieser Geschichte verstehen und sich ihr ehrlich und verständnisvoll nähern, können wir auf einen neuen Anfang für ihre Kinder und Kindeskinder hoffen.

Aus dem Englischen von Susanne Klockmann

Edith Raim

Eine kleine Stadt erlebt die große Geschichte.

Landsberg am Lech 1923–1958. Eine Chronik von Ereignissen

Zu Beginn des 20. Jahrhunderts war Landsberg am Lech eine hübsche Kleinstadt, die vielen anderen, nicht nur in Deutschland, glich. Die meisten der ungefähr 10 000 Einwohner waren Kaufleute, Handwerker und Beamte, die Umgebung ländlich, es gab kaum Industrie, dafür Soldaten. Denn Landsberg war seit dem 16. Jahrhundert Garnisonsstadt. Einer der bedeutendsten Landsberger, Dominikus Zimmermann, war ein berühmter Baumeister und hatte der Stadt wunderbare barocke Bauten hinterlassen. Wie in der Gegend üblich, waren über 80 Prozent der Bevölkerung katholisch, nur etwa zehn Prozent waren protestantisch.

Die zwanziger Jahre

Als in den zwanziger Jahren die Regierungen im fernen Berlin einander ablösten, nahm man hier davon kaum Notiz. Das änderte sich zunächst auch nicht, als die Nationalsozialisten an die Macht kamen. Bei der Reichstagswahl im März 1933 erhielt die NSDAP reichsweit 43,9 % der Stimmen, in Bayern 43,1 %. In der Stadt (44,8 %) und im

Der Hauptplatz in den dreißiger Jahren während einer NS-Kundgebung

Bezirk (49,0%) Landsberg bekamen die Nazis mehr Stimmen als im Reichsdurchschnitt, die sie vor allem vom Bauernbund und der Bayerischen Volkspartei gewonnen hatten.

Für die meisten Landsberger blieb in den ersten Jahren nach 1933 alles beim alten. Es passierte das, was allerorts geschah: Die paar Kommunisten und «Sozis» wurden «in Schutzhaft genommen», die die Nazis als «Hammeln und Sauköpf»[1] beschimpft hatten, KPD, SPD und Arbeitervereine wurden aufgelöst. Die lokale Bücherverbrennung auf dem Hauptplatz im Mai 1933 stand unter dem Motto «Nie wieder Marxismus»[2]. Es wurde gebaut – «Volkswohnungen», ein Freibad, ein Kino und die Neue Bergstraße, die verkehrsgerechter war als die alte steile. In Landsberg ging man seinen Geschäften nach, und die Dinge nahmen ihren gewohnten Gang. Wie überall wurden viele Mitglied in verschiedenen Parteiformationen, Stadtrat und Zeitung schalteten sich gleich – von der großen Politik aber hielt man sich in Landsberg lieber fern. Doch die war schon einmal zehn Jahre zuvor über die kleine Stadt «hereingebrochen».

Der damals noch unbekannte «Führer» der NSDAP, Adolf Hitler, saß nach dem Münchener Putsch von 1923 in Landsberg ein, erst in Untersuchungs- und, nach dem Urteil von 1924, in Festungshaft. Allzulange blieb der Mann dort nicht, der laut Urteilstext «so deutsch denkt und fühlt»[3] und deshalb vom Gericht nicht als Hochverräter nach Österreich ausgewiesen wurde. Der in dem berühmten Münchener Prozeß zu fünf Jahren Verurteilte wurde knapp ein halbes Jahr nach dem Urteil, am 20. 12. 1924, wieder entlassen.

Die Festungshaftbedingungen für politische Gefangene, wie die «alten Kämpfer» Rudolf Heß, Gregor Strasser und Julius Streicher, waren milde, die Festungsanstalt war ein Mittelding zwischen

«Alte Kämpfer» in der Festungshaftanstalt. Von links nach rechts: Adolf Hitler, Emil Maurice, Hermann Kriebel, Rudolf Heß, Friedrich Weber.

«Kurhotel und Kaserne». Hitler diktierte den ersten Teil von «Mein Kampf», man empfing Besucher und ging in der Stadt ins Café. Dort wurde auch zehn Jahre später, 1934, der «Führer» von einer begeisterten Menschenmenge begrüßt.[4] Heinrich Hoffmann fotografierte ihn bei diesem Anlaß in den gleichen Posen wieder wie bei der Haftentlassung 1924.

Die Stadt und der Nationalsozialismus

> «Ich weiß, daß die Gefängniszellen des Nationalsozialismus dereinst Wallfahrtsort einer neuen deutschen Jugend sein werden.»
> *Adolf Hitler, Mein Kampf, 1925*

So erkoren die Nazis die Stadt am Lech zum Wallfahrtsort, zur «Stadt der Jugend». Im Sommer 1937 erfuhren die Stadtväter von den Plänen des Reichsjugendführers Baldur von Schirach, einen Fahnenaufmarsch der HJ zu inszenieren. Im Stadtrat zerbrach man sich den Kopf darüber, ob sich die Reichsführung an den Dekorationskosten für den Hauptplatz beteiligen würde.[5] Nach dem Nürnberger Reichsparteitag 1937 marschierten dann erstmals 1800 Hitlerjungen nach Landsberg, 1200 weniger als ursprünglich geplant, da man Unterbringungsprobleme hatte, die auch durch den im Juli begonnenen Bau eines örtlichen «HJ-Heimes» nicht gelöst wurden.
Paramilitärische Sternmärsche von Hitlerjungen aus dem gesamten Deutschen Reich nach Nürnberg gehörten seit 1935 zum Repertoire der Masseninszenierungen, den anschließenden Weg nach Landsberg stellte man unter den Titel «Dank- und Bekenntnismarsch der deutschen Jugend».
Die Lokalpresse berichtete von der freundlichen Aufnahme der Hit-

1937. Nach dem «Bekenntnismarsch der deutschen Jugend» in der Festungshaftanstalt. Es spricht Baldur von Schirach.

lerjugend durch die Bevölkerung. Die Stadt platzte aus allen Nähten, die «Hitlerjungen» wurden in Turnhallen und der Viehmarkthalle untergebracht. Zur Begrüßung stand die örtliche Prominenz bereit, die Mariensäule auf dem Hauptplatz wurde verkleidet, die zum Hauptplatz führenden Fenster mit Lämpchen versehen, die von sieben bis elf Uhr abends entzündet werden sollten. Die Landsberger wurden von ihrer Lokalzeitung[6] in die Details des Spektakels eingewiesen, das in einer nächtlichen Kundgebung gipfelte.

Doch noch Größeres hatte man für die Stadt Landsberg im Auge: Der Bürgermeister trug, einer Anregung des Reichsjugendführers Schirach folgend, dem Stadtrat vor, dem «Führer» die gesamte Gefangenenanstalt «zum Geschenk zu machen». Die größte Jugendherberge des Deutschen Reichs sollte dort entstehen, die «Hitlerzelle» zum «Nationalheiligtum und Museum» ausgebaut werden. Zukünftig sollten die «Bekenntnismärsche» mit 10 000 Teilnehmern über die Bühne gehen und auch während des Jahres, nicht nur zu Parteitagszeiten, HJ-Einheiten die Stadt besuchen. Ein Besuch in Landsberg würde ein Muß für jeden Hitlerjungen werden, Übernachtungen in der «Führerzelle» inklusive: «Kein Ort in Deutschland lehrt uns mehr an Adolf Hitler glauben als Landsberg. So wird aus eurem Bekenntnismarsch aus Nürnberg ein Marsch tiefsten Glaubens an Adolf Hitler, Landsberg aber wird damit zum Wallfahrtsort der deutschen Jugend.»[7]

Die Landsberger Stadtväter wollten zwar «jeden Plan (...) fördern, der der deutschen Jugend und somit dem deutschen Volk diene»[8], sorgten sich aber wieder einmal um die Kosten, die sie nicht mittragen wollten – und um den Verlust der Arbeitsplätze in der Gefangenenanstalt, der indes durch die geplante Errichtung einer «HJ-Führerschule» aufgewogen werden sollte. So war man denn zufrieden. Aus der Umwidmung der Gefangenenanstalt wurde nichts, sondern man beschloß dafür 1938 den Neubau einer Jugendherberge.[9]

Am 1. November 1938, also noch vor der sogenannten «Reichskristallnacht», meldete die *Landsberger Zeitung*, daß am Ort nur noch arische Geschäfte seien.[10]

Einige jüdische Familien lebten in der Stadt, kaum 20 Personen, ohne eigenständige Gemeinde, man fuhr nach Augsburg in die Synagoge. Nur noch weniges weiß man über sie, nur Fragmente ihrer

Lebensgeschichten lassen sich aus den Akten des Stadtarchivs rekonstruieren: daß die Schleßingers und Willstätters Viehhändler waren, Max Weimann mit Babette Burkhardt verheiratet war und diese Verbindung nach 1935 als eine «privilegierte Mischehe» galt und daß das führende Textilhaus am Hauptplatz der Familie Westheimer gehörte.

Diese Akten überliefern auch, daß sich der in München studierende Sohn eines Landsberger Kaufmanns im Oktober 1933 beim bayerischen Ministerpräsidenten beschwerte. Darüber, daß jüdische Geschäfte den Markt beherrschten und die Landsberger gar «die Fahnen der nationalen Revolution ausgerechnet beim Juden» (gemeint ist das Kaufhaus Westheimer) kauften.[11]

Dies ist das früheste archivalisch noch auffindbare Dokument, eine Stimme, die am Anfang von Ausgrenzung, Haß und Verfolgung steht. Es widerfuhr den jüdischen Bürgern in Landsberg das, was den Juden überall im Deutschen Reich geschah. In den offiziellen Akten der Stadt blieben nur wenige Spuren: die eingezogenen, mit dem «J» gestempelten Pässe, amtliche Erlasse und Briefwechsel, die von behördlichen Schikanen und hilflosem, an die Vernunft appellierenden Protest erzählen. 1935 wurde Gastwirten, Handwerkern und Geschäftsleuten nahegelegt, Schilder mit der Aufschrift: «Hier sind Juden unerwünscht» anzubringen. Ein Ratsprotokoll bestimmte, daß keine städtischen Aufträge mehr erhalten würde, wer mit Juden Geschäftsverbindungen pflegt.[12] Für die Gestapo wurden Listen von deutschen Angestellten in jüdischen Haushalten angelegt.[13]

Den Viehhändler Schleßinger belastete im Sommer 1935 sein Vermieter, ganze «Judenheere» zu Besuch zu haben – über die Angelegenheit berichtete sogar die Lokalpresse, der Bürgermeister schließlich ordnete schriftlich an, daß Schleßingers Besuch (6 Personen)

Jüdische Jugendliche vor der Emigration.

die Stadt zu verlassen habe.[14] Schleßinger wurde die Wohnung gekündigt und der Viehhändler wegen angeblicher «Tierquälerei» verurteilt. Auch andere jüdische Bürger wurden solchen juristischen Schikanen durch das offizielle Landsberg ausgesetzt.

Max Westheimer, Inhaber des besagten Textilgeschäfts und zu den wohltätig engagierten Honoratioren des Städtchens zählend, erhielt noch 1934 einen Dankesbrief des örtlichen Funktionärs der Volkswohlfahrt – für eine großzügige Spende zum Winterhilfswerk.[15] Seit 1935 wurde Westheimer offiziell unter Druck gesetzt, sein Geschäft aufzugeben – der Frontkämpfer aus dem Ersten Weltkrieg wehrte sich, ohne Erfolg.

Die Familie Westheimer wurde in die Emigration getrieben. Nach demütigenden Auseinandersetzungen mit Behörden, durch die mehrfach schon gebuchte Passagen verfielen, schifften sich die Westheimers 1939 nach New York ein. Die Schleßingers emigrierten nach Chile, die Weimanns nach Kuba und das Ehepaar Willstätter ebenfalls in die USA. In Landsberg zurück blieb nur Erna Simon, halbwegs geschützt durch eine «Mischehe».

Das Eigentum und Vermögen der Geflohenen wurde «arisiert». Der 1. Beigeordnete der Stadt, Nieberle, erwarb Land, das Schleßingers gehörte. Das Anwesen der Westheimers ging an den Kaufmann Peter Brand, das Haus von Minna Fischel an den Kaufmann Hans Hecht und die Immobilien der Weimanns an den Malermeister Hans Huber.[16] Letzterer behauptete im November 1945 dann gegenüber dem ersten Nachkriegsbürgermeister, daß sein Verhältnis zu den Juden «gutnachbarschaftlich» gewesen sei.

Das geheime Rüstungsprojekt

Am 18. Juni 1944 kamen Güterwaggons mit 1000 Männern aus Auschwitz in Kaufering an, einem fünf Kilometer von Landsberg entfernten Dorf.[17] Die SS trieb die KZ-Häftlinge in ein in der Nähe gelegenes Lager – genannt «Kaufering I». Es war das erste von insgesamt 11 Außenlagern des Konzentrationslagers Dachau, die 1944 in der Umgebung von Landsberg entstanden.

Dies war ein Vorgang, der in der Logik der Nationalsozialisten ein ideologisches Problem darstellte. Denn seit 1942 galt das Reich als «judenfrei», und das militärisch unter Druck stehende Regime tat sich einigermaßen schwer mit der Entscheidung, bereits nach Auschwitz deportierte Juden als Zwangsarbeiter «ins Reich zurückzuholen». Bis in die oberste Führungsspitze wurde dies diskutiert, und Hitler selbst gab seine Einwilligung zu diesem Schritt. Man brauchte Arbeitskräfte für die Rüstungsindustrie.

Durch die Bombenangriffe der Alliierten seit Anfang 1944 waren Industrieanlagen massiv beschädigt worden, und für die Nazi-Strategen entstand ein drastischer Handlungsbedarf. Der sogenannte «Jägerstab» mit Mitgliedern aus Industrie, Rüstungs- und Luftfahrtministerium wurde eingesetzt.[18] Mit immensem Aufwand betrieb man die Dezentralisierung und vor allem die Verlagerung an unterirdische (und so vermeintlich bombensichere) Fertigungsstätten. Deutschland und die besetzten Gebiete wurden nach entsprechenden Plätzen durchkämmt, in Höhlen und Kirchenkrypten, Bergwerken und Bergwerksschächten, Obst-, Gemüse- und Bierkellern Produktionsräume eingerichtet. Die deutschen Industriellen unterstützten diese Maßnahmen, nicht zuletzt, damit der Maschinenpark den «Endsieg» unbeschadet überstehe.

Oberste Priorität in den letzten Kriegsmonaten hatte die Luftfahrtindustrie, deren Verlagerung als Angelegenheit von «kriegsentscheidendem» Charakter galt. Als Produktionsorte für Jagdflugzeuge sollten halbunterirdische Betonbunker von mehreren 100 000 Quadratmetern Fläche[19], die sogenannten «Jägerbauten» entstehen. Das erste Düsenflugzeug der Welt (Messerschmitt 262) sollte in Serienproduktion gehen. Es war beabsichtigt, in einer Bauzeit von nur sechs Monaten sechs solcher Großbunker zu erstellen.

Der Ort, an dem diese gigantischen Pläne verwirklicht werden sollten, war Landsberg. In der Umgebung der Stadt fand sich die dafür nötige Kiesschicht, die geeignete geologische Struktur und zugleich die nötige Anbindung an Eisenbahnlinien und Energieversorgung durch den Lech. Die gewaltig dimensionierten Pläne wurden nur in Teilen realisiert, vier (statt der vorgesehenen sechs) Bunkerbaustellen entstanden bei Landsberg und im nahen Mühldorf. Albert Speers Memoiren ist zu entnehmen, daß dieses Vorhaben auch fest an den «Endsieg» glaubenden Nationalsozialisten aberwitzig zu sein schien. Der in diesem Fall in der Konkurrenz der NS-Organisationen ausgebootete Rüstungsminister sollte in seiner Prognose recht behalten.[20]

Beauftragt mit dem Bunkerbau war die Organisation Todt (OT), eine staatliche Organisation, die, 1938 für den Bau militärischer Anlagen eingerichtet, seit Kriegsbeginn in den besetzten Gebieten «kriegswichtige» Bauten wie Straßen, Eisenbahnlinien, Brücken, Fabriken durchführte. Auf den Baustellen der OT waren überwiegend Zwangsarbeiter, Fremdarbeiter, (russische) Kriegsgefangene, Juden und andere Häftlinge aus den Konzentrationslagern eingesetzt.
Die Organisation Todt kooperierte bei den Bunkerbauten mit Privatfirmen. Diese in München ansässigen Unternehmen – Leonhard Moll, Philipp Holzmann, Karl Stöhr und Polensky & Zöllner – beauftragten ihrerseits zahlreiche Subunternehmer.

Die Konzentrationslager

Bei Landsberg und Kaufering entstand der größte Außenlagerkomplex Dachaus. In den wenigen Monaten zwischen Juni 1944 und April 1945 «durchliefen» etwa 30 000 Häftlinge die Lager in der Nähe der Stadt. Die Organisation Todt, und nicht die SS, mit der man «kooperierte», war sowohl verantwortlich für den Aufbau der Lager als auch für die Ernährung und die medizinische Versorgung der Häftlinge. Auch forderten Mitglieder der Organisation Todt im Spätherbst 1944 die Selektion von 1322 nicht mehr arbeitsfähigen Häftlingen, die nach Auschwitz deportiert und vergast wurden.[21] Eingesetzt wurde in den Kauferinger Lagern auch SS-Führungspersonal, das sich bereits in Auschwitz, Lublin-Majdanek und anderen Vernichtungslagern in die Terrormethoden eingeübt hatte.
Die – fast ausschließlich jüdischen – Häftlinge, die in die Kauferinger Lager deportiert wurden, hatten die Liquidierung der polnischen und litauischen Ghettos oder die Verfolgungen in Ungarn überlebt, kamen auch aus Frankreich, Holland, Italien, Griechenland und der Tschechoslowakei. Viele waren zuvor in Auschwitz oder anderen Vernichtungslagern gewesen. Bei der Ankunft in Kaufering empfanden, so ist aus Berichten von Überlebenden zu schließen, manche Häftlinge Erleichterung darüber, daß es zumindest keine Krematorien und Gaskammern gab. Denn hier wurde das Programm der systematischen Vernichtung durch Arbeit exekutiert. Die Topographie des Terrors funktionierte flächendeckend, das Deutsche Reich war mit einem dichten Netz sogenannter Außen-

lager überzogen, das «KZ vor der Haustür» war Realität. Die Bedingungen in diesen Lagern oder «Außenkommandos» waren für die Häftlinge oftmals noch brutaler als in den «Stammlagern».

In den elf Lagern bei den Bunkergroßbaustellen um Kaufering und Landsberg waren die Häftlinge in primitivsten Erdhütten untergebracht, fast ungeschützt vor Regen, Schnee, Kälte, Schlamm, Läusen und Ungeziefer. Die Lager entstanden dort, wo die Häftlinge arbeiten sollten. Die Umsetzung des gigantomanischen Vorhabens verlief allerdings chaotisch und nicht so geordnet wie in den Effektivitätsphantasien der Planer. Verschiedentlich begann man irgendwo mit Bauarbeiten (das bedeutete, auch ein Lager für die Häftlinge anzugliedern), die kurz darauf wieder eingestellt und an anderen Plätzen wiederaufgenommen wurden. Für die Häftlinge hieß dies zusätzliche Strapazen durch immer länger werdende Anmarschwege.

Die Häftlinge bauten Eisenbahndämme, verlegten Schienen, fällten Bäume oder schleppten auf den Baustellen zentnerschwere Zementsäcke. Etwa 15 000 Menschen kamen in den Kauferinger Lagern um, auf den Baustellen bei der Zwangsarbeit, oder überstanden Mißhandlungen, Hunger und Krankheiten nicht: Der OT-Stabsfrontführer Buschmann beschrieb die Situation so, daß es beispielsweise auf der Baustelle der Firma Moll kaum einen unter den Arbeitern der OT gegeben hat, der «nicht einen Stock bei sich trägt und damit die Häftlinge zur Arbeit erziehen will».[22]

Die Versorgung der Häftlinge war dürftigst, der Hunger ein Teil des Vernichtungsprogramms; die Essensausgabe an den Baustellen und nicht in den Lagern wirkte sich, gerade für kranke Häftlinge, als zusätzliches Terrorinstrument aus.[23]

Vielen Häftlingen war ihre Lage bewußt: Man gab sich als Zwangsarbeiter bei Holzmann fünf, bei Moll drei Wochen Überlebensdauer.[24]

Typhus, Fleckfieber und Tuberkulose breiteten sich aus und forderten viele Opfer. Nach der Befreiung wurde ein Depot für Impfstoffe und Medikamente in der Nähe bei Schwindegg entdeckt – das die OT nicht nutzte, obwohl der katastrophale Gesundheitszustand der Häftlinge zu einem ökonomischen Problem geworden war: Die auf den Kauferinger Großbaustellen engagierten Privatfirmen beschwerten sich bei der Organisation Todt, daß sie für Häftlinge «Mietgebühren» entrichteten, dann aber weniger Häftlinge als

«berechnet» und überdies nicht mehr im arbeitsfähigen Zustand auf den Baustellen erschienen.
Die Lager von der Außenwelt abzuschirmen war schlechterdings unmöglich. Der Landsberger Bürgermeister mußte die Eigentümer, deren Grund und Boden durch die Organisation Todt beschlagnahmt wurde, nachträglich darüber informieren.[25] Vorab hatte man aus Berlin den Landrat und den Oberbürgermeister über die Anzahl und Größe der sogenannten «Judenlager» in Kenntnis gesetzt – und sie wissen lassen, wie man sich eine Unterstützung (Verpflegung der Häftlinge) durch die lokalen Behörden vorstellte. Die örtlichen Politiker versuchten, daraus einen Vorteil für ihre Heimatgemeinde zu erwirtschaften – man spekulierte auf die direkte (bis heute nicht realisierte) Anbindung Landsbergs – «ein verkehrspolitisches Stiefkind»[26] – an die Bahnstrecke München–Lindau.
Das Gesicht der kleinen Stadt veränderte sich in kurzer Zeit allein durch die vielen «Fremden», die durch die Großbaustellen und die Lager in den Ort kamen: Die Mitglieder der Organisation Todt lebten in der Stadt, die Kriegsgefangenen, die Fremdarbeiter und die KZ-Häftlinge waren in besonderen Lagern außerhalb der Stadt untergebracht.
Die Außenlager befanden sich in der Nähe von Bauernhöfen, sie waren im Vorbeifahren von den Straßen oder aus der Eisenbahn zu sehen. Manchmal marschierten die Häftlingskolonnen durch Stadtteile, manchmal benutzten Deutsche, die dafür besondere Genehmigungen bekamen, Wege, die durch die Lager führten, als Abkürzung auf dem täglichen Gang zur Arbeit. Hin und wieder wurden die Häftlinge auch zu Gelegenheitsarbeiten außerhalb der Baustellen herangezogen, als Erntehelfer auf Bauernhöfen, bei Aufräumarbeiten auf den Militärflughäfen.
Die Kontakte, die die Häftlinge dabei zur deutschen Bevölkerung bekamen, waren spärlich. Die Reaktionen der Einheimischen auf Kontaktversuche waren oftmals gleichgültig, wenn nicht ablehnend. Bekannt ist, daß Häftlingen manchmal Essen zugesteckt wurde, ein Schornsteinfeger Nahrung, Medikamente und Informationen in die Lager hineinschmuggelte und daß in den letzten Kriegstagen ein paar Familien geflohenen Häftlingen Unterkunft gewährten.
Wie an anderen Orten auch, wurden gegen Kriegsende die meisten der Kauferinger Lager evakuiert – nach dem Willen der SS und OT

sollten die Häftlinge nach Dachau gelangen. Bei den Fußmärschen, mitten durch Dörfer und Städte, kamen Unzählige um, die bis dahin überlebt hatten. Viele, die in Eisenbahnen transportiert wurden, starben durch Fliegerangriffe der Alliierten, die die Züge irrtümlich für Munitions- oder Truppentransporte hielten.
RSHA-Chef Kaltenbrunner hatte Mitte April 1945 die Ermordung sämtlicher Kauferinger Häftlinge befohlen. Schlechtes Wetter allein verhinderte, daß die Luftwaffe die Lager bombardieren konnte.[27] In «Kaufering IV» setzte der SS-Arzt Blanke die Baracken in Brand, in denen sich bewegungsunfähige Kranke befanden, die nicht evakuiert worden waren.
Nun war der Krieg zu Ende. Die Landsberger waren verhältnismäßig ungeschoren davongekommen – keine einzige Bombe war auf die Stadt gefallen, zerstört waren lediglich die zwei Lechbrücken, die noch kurz vor der Kapitulation auf Veranlassung der SS gesprengt worden waren. Für die meisten Landsberger hatte der Krieg Lebensmittelknappheit, Verdunkelung und – zum Ende hin – Flüchtlingsströme bedeutet. Die Männer waren rekrutiert, verwundet worden, an der Front gestorben, in Gefangenschaft geraten. Das war der Krieg gewesen.
Als wesentlich einschneidender erlebte die Stadt, die Märsche von Hitlerjungen und Häftlingskolonnen gesehen hatte, die Zeit nach dem Krieg. Landsberg wurde von den Amerikanern besetzt, Tausende von Displaced Persons, viele von ihnen Überlebende des Holocaust, waren in der Stadt, und die Besatzungsbehörden nutzten – mit Sinn für Symbolik – die Festungsanstalt als Kriegsverbrechergefängnis.
Die Amerikaner rückten am 28. 4. 1945 in Landsberg ein, das fast

«Kaufering IV» nach der Befreiung

widerstandslos besetzt wurde. Die GIs fanden Tausende von Toten in den Massengräbern und Lagern, auf die sie mehr zufällig als geplant stießen. Entsetzt befahlen die Militärs mehrere hundert Anwohner aus Landsberg und umliegenden Ortschaften an einen Tatort der NS-Verbrechen. In der Nähe des Dorfes Hurlach, im Lager «Kaufering IV» sollten die Deutschen die Wahrheit sehen und die Leichen begraben. Lieutenant Colonel Seiller hielt eine in der *New York Times* (30. 4. 1945) zitierte Ansprache «US Officer blames Germans for Crimes»: «Sie können zwar sagen, Sie seien nicht dafür verantwortlich, aber Sie haben das Regime unterstützt, das diese Verbrechen beging.»

Schon drei Jahre später kam es zu einer Kontroverse, deren Ausgang für das Verhältnis der Nachkriegsdeutschen zu ihrer Geschichte symptomatisch ist. Der bayerische Generalanwalt für Wiedergutmachung, Auerbach, mutmaßte eine Zahl von 60 000, die in den Kauferinger Lagern umgekommen seien. Die *Landsberger Zeitung* protestierte darauf scharf und warf Auerbach und einem überlebenden Zeugen «Schwindelei und Geschäftemacherei» vor und beharrte auf einer Zahl von nur 6000 Opfern. Man setzte eine Kommission ein, in der ehemalige Häftlinge, Anwohner und der Bürgermeister aufeinandertrafen – die niedrigste Schätzung der Opferzahlen lag bei 4500, die höchste bei über 20 000. Zu guter Letzt «einigte» man sich auf einen Mittelwert von 14 500 begrabenen Opfern. Die Zahl konnte weder verifiziert noch falsifiziert werden, denn Dokumente waren vernichtet oder hatten nie existiert.[28]

Das Displaced Persons Camp

> «Landsberg war für uns so etwas wie eine Dekompressionskammer, ein erstaunliches Niemandsland zwischen der Hölle der Vergangenheit und der unausweichlichen Rückkehr zum normalen Leben.»
> *Samuel Pisar, Das Blut der Hoffnung*

Seit dem Ende des Krieges hatten sich in der bayerischen Kleinstadt viele Überlebende des Holocaust versammelt, die in der Saarburgkaserne untergebracht wurden. Sie nannten sich «She'erit Hapletah», der Rest der Geretteten, die amerikanischen Militär-

behörden bezeichneten sie als DPs (Displaced Persons), Personen, die infolge des Kriegs entwurzelt waren. Die Amerikaner hofften wie die anderen Alliierten zunächst, die DPs «repatriieren» zu können (in ganz Europa gab es 13,5 Millionen). Doch die wenigsten konnten oder wollten angesichts der politischen Lage in die Länder Osteuropas, aus denen viele jüdische DPs kamen, zurückkehren, in ein Klima des nicht nur latenten, sondern manifesten Antisemitismus. Sie warteten auf die Möglichkeit zur Emigration in die USA oder nach Palästina.

Unmittelbar nach der Befreiung der Lager übernahm die US-Armee die faktisch als Internierungslager funktionierende DP-Unterkunft in einer bewachten und umzäunten Kaserne. Ende 1945 wurde der Verfolgtenhilfsorganisation der UN (UNRRA)* die Verantwortung für das DP-Camp übergeben.

Die Einwohnerzahl der Stadt hatte sich inzwischen fast verdoppelt. Im März 1946 beschrieb der Bürgermeister die Wohnungsnot und meldete den Militärbehörden, daß von insgesamt 17211 Einwohnern «4729 Juden, 1531 Flüchtlinge, 773 Ausländer und 10178 Landsberger» seien.[29] Landsberg war für kurze Zeit ein Zentrum jüdischen Lebens, «a jidisze sztot».[30] Zwischen 6000 und 7000 Juden lebten im Landkreis, davon fast 5000 in der Saarburgkaserne, die anderen in umliegenden Ortschaften und einige Hundert in von den Militärbehörden requirierten Privathäusern in der Stadt selbst.

Zwischen 1945 und 1950/51 durchliefen etwa 23000 DPs das «Jüdische Center Landsberg», für sie alle eine Station zwischen Befreiung und Auswanderung.

Vor allem in den allerersten Wochen und Monaten nach der Befreiung waren die Lebensbedingungen im DP-Lager schwierig, räumliche Enge, Versorgungsschwierigkeiten, Chaos und Schwarzmarktaktivitäten bestimmten den Alltag. Alle suchten nach Angehörigen und Freunden, in der Hoffnung, Überlebende zu finden. Viele Familien wurden gegründet, Kinder geboren – unter den DPs machten die Statistiker die weltweit höchste Geburtenrate in jüdischen Gemeinden aus. Das Klima war hochpolitisiert, schon im Sommer 1945 formierte sich das «Zentralkomitee der befreiten Juden in der

* UNRRA: United Nations Relief and Rehabilitation Administration. 1943 gegründete, alliierte Flüchtlingshilfsorganisation.

amerikanischen Besatzungszone». Im Oktober 1945 stattete David Ben Gurion dem Camp einen für das jüdisch-nationale Selbstbewußtsein der DPs wichtigen Besuch ab und ermutigte zur Emigration in das damals noch unter britischem Mandat stehende Palästina. Auch die Frage einer eigenen Vertretung der DPs war äußerst relevant, die wichtigen Personen im politischen Leben des Camps waren fast alle Häftlinge in Kaufering gewesen und stammten aus dem Baltikum. Der Richter Samuel Gringauz war Vorsitzender des Lagerkomitees, Zalman Grinberg Direktor des DP-Krankenhauses in St. Ottilien.

Der Agraringenieur Jakob Olejski gründete die Landsberger ORT, eine Organisation, die sich erfolgreich für Ausbildung und Schulung einsetzte, und der Journalist Rudolf Valsonok die *Landsberger Lager-Cajtung*, die in jiddischer Sprache (zunächst mit lateinischen Lettern) erschien und in der gesamten amerikanischen Zone gelesen wurde.

Das Bedürfnis nach Kultur war nach den Jahren der Entbehrung enorm – Vorträge, Lesungen, Theateraufführungen und ein eigenes Kino prägten das gesellschaftliche Leben im Camp. Mit großer Energie installierten die Überlebenden zusammen mit jüdischen Hilfsorganisationen Bildungs- und Lernprogramme, eingerichtet wurden Lehrwerkstätten, Berufs- und Fachschulen. In Vorbereitung auf eine zukünftige Existenz erfreuten sich Hebräisch- und Englisch-Kurse außerordentlicher Beliebtheit. In Kibbuzim bereiteten sich vor allem junge Juden auf ein Leben im (noch zu schaffenden) Staat Israel vor.

Unter den DPs herrschte ein babylonisch anmutendes Sprachgewirr, neben vielen slawischen Sprachen verständigten sich die meisten in Jiddisch. Die religiösen Orientierungen waren sehr unterschiedlich, und es war bedeutsam nach den Jahren der Verfolgung, daß auch die Orthodoxen ihre religiösen Praktiken wieder aufnehmen konnten mit Sabbatfeiern, einer koscheren Küche und einer Mikwe, dem religiösen Bad. Ein Ereignis von zentraler Bedeutung war auch das erste Purim-Fest nach der Befreiung im März 1946. Traditionell ist Purim ein dem Karneval vergleichbares Freudenfest zum Gedenken an die Rettung der persischen Juden vor der Verfolgung durch Haman. Der Landsberger Purim, an dem fast alle DPs teilnahmen, wurde zu einer symbolisch hochverdichteten Begräbnisinszenie-

rung. Überall tauchte der besiegte «Haman Hitler» auf – Puppen, Karikaturen, Masken, Kostüme, es gab eine Verbrennung von «Mein Kampf». «Es war wie Hitlers Begräbnis. Wir wußten, daß Hitler tot war, aber wir konnten nicht sehen, wo er war. Hier sahen wir, daß er hingerichtet und begraben wurde.»[31]

Das dichte Nebeneinander zwischen DPs und Deutschen führte zu Spannungen, und für die amerikanischen Militärs war es eine heikle Aufgabe, für ein friedliches Zusammenleben zu sorgen. Der Antisemitismus der Deutschen hatte sich nicht mit dem «Dritten Reich» in nichts aufgelöst – die DPs galten den Deutschen als Fremdkörper, die man lieber heute als morgen aus der Stadt entfernen wollte. Ob in den *Landsberger Nachrichten* oder der liberaleren *Süddeutschen Zeitung* aus München, man sprach von den DPs als «Unruhestiftern», «Ausländern, auf deren Abtransport» man wartete.[32] Ein ehemaliger Landrat erzählte noch 1983 in seinen Memoiren Geschichten wie diese: «Am 5. 5. 1946 verteilte ein Jude in der Schweighofsiedlung in Landsberg vergiftete Bonbons an die Kinder. Dies wurde bald bemerkt, so daß den erkrankten Kindern gleich geholfen werden konnte.»[33]

Die Deutschen klagten über die DPs als Unruhestifter und über die Gleichgültigkeit, mit der sie die requirierten Privathäuser behandelten und deutsches Eigentum beschädigten.

Überhaupt waren «die unmoralischen Zustände auf dem Höhepunkt», wie die *Landsberger Nachrichten* am 3. 8. 1949 befanden. In den Augen der Deutschen waren die DPs verantwortlich für den Schwarzmarkt und die amerikanischen Besatzer für das «Dirnenunwesen». Im Stadtrat monierte man die «öffentliche Ausübung des Geschlechtsverkehrs», «anständige Bürger» könnten sich nicht mehr in die städtischen Garten- und Parkanlagen wagen. Doch gegen das Fraternisieren ließ sich von offizieller Seite nur wenig ausrichten, man könnte, wie der Vertreter der amerikanischen Militärregierung die deutschen Sittenwächter wissen ließ, zwar getrennte Restaurants für Deutsche und Besatzer einrichten, doch Beziehungen zwischen schwarzen Soldaten und deutschen Fräuleins schließlich nicht verbieten. So hatten dann 77 Landsberger Kinder im Jahr 1950 Väter, die der Besatzungsmacht angehörten.[34]

Daß es dann im April 1946 zur Eskalation der Spannungen kam, war kaum überraschend. Jüdische DPs standen den Bewohnern Lands-

bergs und den amerikanischen Militärbehörden gegenüber, der Gang der Ereignisse, die administrativ «Aufruhr» oder «Riots», von den Deutschen «jüdischer Aufstand» genannt wurden, ist einigermaßen verworren und bestimmt von einer äußerst nervösen Atmosphäre unter den DPs und in der Stadt.
In Dießen, einem nahe gelegenen Marktflecken, wo DPs untergebracht waren, wurden am 27.4.1946 zwei ungarische Jugendliche vermißt. Sie hatten einen zum Kibbuz umfunktionierten Gasthof bewacht. Die DPs waren an diesem Tag ohnehin beunruhigt, denn die Deutschen feierten im Ort die Heimkehr von Kriegsgefangenen. Schließlich verständigten sie die UNRRA-Leitung im Landsberger Camp. In der allgemeinen Aufregung und aufgrund einer schlechten Telefonverbindung entstanden Mißverständnisse, die unter den Landsberger DPs rasch in Form verschiedenster Gerüchte zirkulierten: In Dießen hätten die Deutschen Juden gekidnappt und erschossen. Deutsche hätten die Unterkunft der DPs angegriffen und alle erschossen. So kam es in Landsberg zu einem regelrechten Aufruhr, Plünderungen von Häusern, einigen Diebstählen. Ein Bus mit deutschen Insassen wurde gestürmt, ungefähr 20 Deutsche wurden verletzt. Eine Liste aus dem Landsberger Krankenhaus verzeichnet ausgeschlagene Zähne, Stichwunden, Blutergüsse und Schürfwunden.[35] Noch am gleichen Tag hatte die aus Augsburg herbeigerufene amerikanische Militärpolizei die DPs wieder in das Campgelände zurückgedrängt und etwa 20 Personen verhaftet, es gab eine Ausgangs- und Nachrichtensperre, die Militärpolizisten feuerten Warnschüsse ab, und DPs reagierten mit Beschimpfungen wie «amerikanische Gestapo». Schließlich waren auch die beiden vermißten Jungen in der Nähe von Dießen wieder aufgetaucht.
Selbst die *New York Times* berichtete in ausgeschmückter Form über

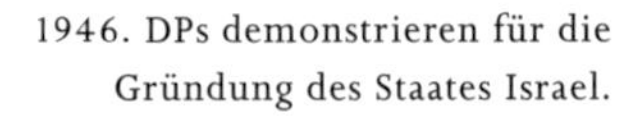
1946. DPs demonstrieren für die Gründung des Staates Israel.

die Landsberger Vorgänge.[36] Auch die Militärbehörden agierten heftig, sie sahen dies als Höhepunkt von Auseinandersetzungen um die Störung der öffentlichen Ordnung durch DPs. Im Mai 1946 begann im DP-Camp ein mit Spannung und einem solidarischen Hungerstreik begleiteter Prozeß vor dem Militärgerichtshof in Augsburg. Den Angeklagten wurden Teilnahme am «Aufruhr», Körperverletzung, Sachbeschädigung und Widerstand gegen die Militärpolizei zur Last gelegt. Der Anklagevertreter betonte, daß man um die Leiden der Angeklagten in der Vergangenheit wisse, aber man jetzt nicht bei ihnen dulden könne, was man bei anderen verdamme. Nur eine Person wurde freigesprochen, sechs Angeklagte wurden zu zwei Jahren und 12 zu je einem Jahr Haft verurteilt. Das Strafmaß wurde massiv kritisiert. Die Auseinandersetzungen zwischen den Militärbehörden (auch der britischen Zone) und den DPs und ihren Organisationen, die zu einem kämpferischen Selbstbewußtsein gefunden hatten, rissen auch in der Folgezeit nicht ab.

Das Kriegsverbrechergefängnis

Unmittelbar in der Nähe der Überlebenden saßen die Täter. Am 1. 12. 1946 wurde die Festungsanstalt Landsberg zum War Criminal Prison Nr. 1 in der amerikanischen Zone. 1600 Kriegsverbrecher waren dort bis 1958 inhaftiert, darunter so prominente Personen wie Friedrich Flick, der ehemalige Generalfeldmarschall Erhard Milch oder der Ex-Staatssekretär im Auswärtigen Amt, Ernst von Weizsäcker, also vor allem Verurteilte aus den Nürnberger Folge- und den Dachauer Prozessen.

Wie in der Landsberger Anstalt schon traditionell, waren die Haftbedingungen moderat. Die Insassen konnten sich solcher Annehmlichkeiten wie Besuchen oder kultureller und sportiver Freizeitvergnügungen erfreuen und einen fast freien Umgang miteinander pflegen. Die Anstaltspfarrer beider Konfessionen kümmerten sich um das Seelenheil der Gefangenen und engagierten sich in jeder Hinsicht für ihre Schützlinge. Die kollektive Verfassung in der Haftanstalt war wie in der jungen Nachkriegsrepublik von einer «Psychose der Schuldlosigkeit»[37] bestimmt.

Die verurteilten Kriegsverbrecher profitierten vom politischen Klima jener Jahre, vom beginnenden kalten Krieg. Der Gnadenerlaß

McCloys vom 31. 1. 1951 brachte 92 von 142 Verurteilten aus den Dachauer und Nürnberger Prozessen die Freiheit. Darunter der ehemalige Reichsfinanzminister Lutz Graf Schwerin von Krosigk, den der extra mit Blumen zum Empfang entsandte Landsberger Finanzamtsleiter unter den vielen Entlassenen nicht auszumachen vermochte, und Alfried Krupp von Bohlen und Halbach, der von seinem Bruder Berthold und 30 Berichterstattern erwartet, sogleich eine Pressekonferenz und einen Sektempfang im ersten Haus am Hauptplatz gab und dann dem Landsberger Bürgermeister einen Abschiedsbesuch abstattete. Die Einheimischen bemühten sich ohnehin rührend um die Inhaftierten, Kinder führten Krippenspiele auf, die Stadtkapelle musizierte, man überreichte Geschenkpakete, und die Honoratioren, wie Pfarrer, Bürgermeister und Landrat, wurden im Gefängnis auch persönlich vorstellig.

Im Hof des War Criminal Prison wurden bis 1951 um die 250 Todesurteile vollstreckt. Gegen die sogenannten «Landsberger Todesurteile» gab es entrüstete Proteste, weit über die Grenzen der Stadt hinaus. Am 7. 1. 1951 fand auf dem Hauptplatz eine große Demonstration im «Namen der Menschlichkeit» gegen die Fortsetzung der Hinrichtungen statt. Es sprach unter anderem der Bundestagsabgeordnete Richard Jaeger, später Justizminister und Befürworter der Todesstrafe, bekannt als «Kopf-ab-Jaeger». Der bayerische Landtagsabgeordnete Michel: «Wir verurteilen die Morde an den Juden, wir verurteilen aber auch die Morde an den Deutschen.»[38]

Man setzte sich ein für Männer wie Georg Schallermair, der in Mühldorf Gefangene zu Tode geprügelt hatte, Hans Schmidt, der Adjutant in Buchenwald war, den SS-Standartenführer Paul Blobel, unter anderem verantwortlich für das Massaker von Babi Jar,

Der Hauptplatz im Januar 1951. Protestkundgebung gegen die Hinrichtung deutscher Kriegsverbrecher

SS-Standartenführer Werner Braune, verantwortlich für den Mord an Tausenden von Juden und Sinti und Roma in Simferopol, für den Leiter der Einsatzgruppe B, Erich Naumann, für den Kommandanten der Einsatzgruppe D, Otto Ohlendorf, oder den Chef des SS-Wirtschaftsverwaltungshauptamts, Oswald Pohl.[39]

Der Bürgermeister von Landsberg verstand die Protestkundgebung folgendermaßen: «Wir sind Landsberg und kein anderer Ort. Wir sind auf die Weltbühne gestellt und haben mit der ... Kundgebung in der Weltöffentlichkeit mit unserer Haltung Aufsehen erregt.»[40]

Dann kam für die bayerische Stadt der Abschied von der Weltgeschichte. Nachdem das DP-Camp Anfang November 1950 aufgelöst worden war, benutzten nicht mehr die Amerikaner, sondern eine «Vorbereitungseinheit» der Bundeswehr die Kaserne. Landsberg wurde 1956 als zweite Stadt der Bundesrepublik wieder Garnisonsstandort, und das Kriegsverbrechergefängnis 1958 zu einer Justizvollzugsanstalt unter deutscher Hoheit. Die letzten amerikanischen Besatzer verließen 1957 die Stadt.

Heute gibt es in und um Landsberg nicht mehr viele sichtbare Spuren. Der «Weingut II» genannte Bunker, der der Fertigstellung am nächsten kam, wird von der Bundes-Luftwaffe als Depot benutzt, die Überreste der anderen werden allmählich verfüllt. Übriggeblieben sind Reste von Häftlingsbaracken nur noch an einem Ort, in «Kaufering VII». An den Stellen, wo die anderen zehn Lager waren, wächst heute Gras, oder dort sind Industrieparks, Schrebergärten, Autofriedhöfe oder Kiesgruben entstanden. In ihrer Nähe, meist versteckt, sind viele Friedhöfe, jüdische Friedhöfe.

Anmerkungen

1 Vgl. Schutzhaftbefehl gegen Johann S. vom 5.9.1933, Anton F. vom 3.5.1934 und Josef R. vom 16.8.1934 des Bezirksamts Landsberg

2 «Bekanntmachungen des Stadtrates – Landessammlung für die bayerische Jugend» am 3.5. und «Der Tag der Jugend in Landsberg» am 8.5.1933, *Landsberger Zeitung*

3 Zitiert nach Ernst Deuerlein, «*Hitlers* Eintritt in die Politik». In: *Vierteljahreshefte für Zeitgeschichte*, 7, 1959, S. 227

4 «Zehn Jahre nachher. Der Führer besucht die Festung Landsberg am Lech, wo er 1923–24 über ein Jahr in Haft gehalten wurde.» *Illustrierter Beobachter*, 9. Jg., Folge 42, 20.10.1934, S. 1674–1677, 1694

5 Protokoll der nichtöffentlichen Sitzung des Landsberger Stadtrats vom 5. 8. 1937

6 «Schmückt Häuser und Fenster!» *Landsberger Zeitung*, 15. 9. 1937, «Landsberg, Wallfahrtsort der deutschen Jugend», *Völkischer Beobachter* (*Münchener Ausgabe*), 20. 9. 1937

7 «Der Fahnenmarsch der deutschen Jugend», *Münchener Zeitung*, 18./19. 9. 1938

8 Vgl. Protokoll des Landsberger Stadtrats vom 7. 10. 1937

9 Vgl. Protokoll des Landsberger Stadtrats vom 25. 2. 1938

10 Vgl. *Landsberger Zeitung* vom 25. 10. 1938 sowie Brief des Bürgermeisters, vertreten durch den 1. Beigeordneten Nieberle, an die Regierung von Oberbayern vom 23. 12. 1938. Akt «Durchführung der dritten Verordnung zum Reichsbürgergesetz», 064 / 1, Landsberger Stadtarchiv

11 Brief von Alois Leidescher an den Bayerischen Ministerpräsidenten, 16. 10. 1933, Akt Judenfrage 1935 – 1946, 064 / 1, Landsberger Stadtarchiv

12 Protokoll des Landsberger Stadtrats vom 22. 8. 1935. Auszug in Akt «Maßnahmen gegen die Juden», 064 / 1, Landsberger Stadtarchiv

13 Verzeichnis des Bürgermeisters Dr. Schmidhuber über die deutschen weiblichen Hausangestellten in jüdischen Haushalten vom 6. 12. 1935. Akt «Judenfrage 1935 – 1946», 064 / 1, Landsberger Stadtarchiv

14 Brief des Gewerberates F. J. Müller an den Bürgermeister Dr. Schmidhuber vom 7. 8. 1935. Brief des Bürgermeisters an Schleßinger vom 12. 8. 1935, Vermerk der Polizeischutzmannschaft an den Bürgermeister vom 14. 8. 1935. Akt «Maßnahmen gegen die Juden», 064 / 1, Landsberger Stadtarchiv, «Gegen jüdische Machenschaften», *Landsberger Neueste Nachrichten* Nr. 182 v. 9 .8. 1935. Brief des Bürgermeisters Dr. Linn an die Gestapo München vom 2. 11. 1940. Akt Ein- und Auswanderer, jüdische Mitbürger 153 / 1

15 Vom 5. 12. 1934, Akt «Maßnahmen gegen die Juden», 064 / 1, Landsberger Stadtarchiv

16 Vgl. Brief des Bürgermeisters Pfannenstiel an Herrn Mühlberger (Wirtschaftstreuhänder) vom 10. 11. 1945 und Brief Huber an den Bürgermeister vom 1. 11. 1945, siehe Anm. 1.10.

17 «Dachau Ledger». Lagerbuch Kaufering III, JM 114 – 73, Jewish Museum, New York

18 Vgl. Erlaß des Reichsmarschalls des Großdeutschen Reiches und Beauftragten für den Vierjahresplan, Göring vom 4. 3. 1944, R 50 II / 46a, Bundesarchiv Koblenz

19 Vgl. Protokoll der Führerbesprechung am 5. 3. 1944, R 3 / 1509, S. 13ff, Bundesarchiv Koblenz

20 Albert Speer: *Erinnerungen*, Frankfurt a. M. 1971, S. 348

21 Vgl. Listy transportowe KL Dachau d-Da 3 / 2 / 2, Nr. 149 717 und D-Da 3 / 2 / 1 Nr. 149 717, Archiv des Staatlichen Museums Auschwitz und Danuta Czech: *Kalendarium der Ereignisse im Konzentrationslager Auschwitz-Birkenau 1939 – 1945*. Reinbek bei Hamburg 1989, S. 915

22 Vermerk des OT-Stabsfrontführers Buschmann vom 6. 12. 1944 in OMGUS Case 000-50-105. RG 338, National Archives, Washington D. C.

23 Vgl. Brief des KZ-Kommandanten Langleist, Waffen SS Arbeitslager M I, Fp. 27451, an Lagerführer von M I, Waldlager V, VI und Mittergars vom 8. 3. 1945, Mühldorf-Prozeß, vol. 2, OMGUS 123a / 6, Bayerisches Hauptstaatsarchiv. Vgl. auch die Erklärung von Karl Stroh, Bauleiter auf der Baustelle Moll, in OMGUS Case 000-50-105, National Archives

24 Vgl. Sidney Iwens: *How Dark the Heavens, 1400 Days under German Occupation*. New York 1990, S. 259

25 Brief des Oberregierungsbaurats Wirth der Organisation Todt, Einsatzgruppe Deutschland VI, Einsatz Anemone, Oberbauleitung Ringeltaube an den Bürgermeister der «Gemeinde» [sic] Landsberg, 28.6.1944, Akt «OT-Rüstungsbau» 065 / 1, Landsberger Stadtarchiv

26 Bürgermeister Dr. Linn an Ministerialdirektor Dorsch, OT-Zentrale Berlin, 11.7.1944, Akt «OT-Rüstungsbau» 065 / 1, Landsberger Stadtarchiv

27 Siehe Vernehmung des Gaustabsamtsleiters von Oberbayern, Bertus Gerdes, vom 20.11.1945, PS 3462, IMG Bd. XXXII, S. 295–300, hier S. 298

28 Vgl. *Süddeutsche Zeitung* vom 12.2.1949 und *Landsberger Nachrichten*, 4.2. und 8.6.1949

29 Vgl. Wohnungsübersicht vom 1.3.1946, «Akt DP Lager 1946–1969», 064/2, Stadtarchiv Landsberg, sowie *Süddeutsche Zeitung*, 6.10.1945

30 Vgl. «A jidisze sztot», Folder 863, Record Group 294.2, Records of DP Germany, YIVO Institute for Jewish Research, New York

31 Vgl. Toby Blum-Dobkin: «The Landsberg Carnival: Purim in a Displaced Persons Center», In: *Purim. The Face and the Mask*. New York 1979, Text von Frania Blum

32 Vgl. *Süddeutsche Zeitung*, «Das melden uns bayerische Städte: Landsberg: Der Bürgermeister kauft Salz», 6.10.1945 und «Gerüchte um Landsberg», 2.11.1945

33 Bernhard Müller-Hahl: *Landsberg nach 1918. Schicksale unserer Heimat*. Landsberg am Lech 1983, S. 185

34 Vgl. «Kleine Stadtchronik», *Landsberger Nachrichten* vom 27.2.1950 und 3.8.1949, und Stadtratsprotokoll vom 3.8.1949 sowie «Maßnahmen gegen das Dirnenunwesen – Mithilfe der Bevölkerung», 5.8.1949. Verwaltungsbericht des Oberbürgermeisters 1.4.1950–31.3.1951 (Stadtratsprotokolle 1951)

35 Akt «Judenaufstand in der Kaserne am 28.4.1946», 064 / 1, Stadtarchiv Landsberg

36 «German Rightists Run Far Ahead in Elections Marked by Disorders», *New York Times*, 29.4.1946

37 Vgl. Ernst Klee: *Persilscheine und falsche Pässe. Wie die Kirchen den Nazis halfen*. Frankfurt a.M. 1991, S. 73

38 «Protest gegen die Unmenschlichkeit», Landsberger Nachrichten, 8.1.1951

39 Vgl. «Landsberg. Ein dokumentarischer Bericht», herausgegeben vom Information Services Division Office des US High Commissioner for Germany, München (1951), S. 19ff und S. 29

40 Protokoll der Landsberger Stadtratssitzung, 31.1.1951

Irving Heymont

Briefe aus Landsberg im Jahre 1945

Der damals 27jährige Major Irving Heymont wurde im September 1945 von der US-Armee als erster Leiter des DP-Camps Landsberg eingesetzt. Mit dieser Aufgabe hatte man ihm die Verantwortung für eine der größten Gruppen jüdischer Überlebender des Holocaust übertragen. Womit er in seinem Alltag konfrontiert wurde, schildert Heymont seiner in den USA zurückgebliebenen Frau in Briefen, die hier in Auszügen vorgestellt werden:

Landsberg, 19. September 1945

Ich bin so überwältigt, daß ich kaum weiß, wohin ich mich zuerst wenden soll. Obwohl es noch so viel zu tun gibt – und es ist schon fast Mitternacht –, muß ich einen Moment innehalten und Dir schreiben, bevor ich ins Bett gehe. Es gibt so viel zu erzählen, daß ich nicht weiß, wo ich anfangen soll; es ist vielleicht das beste, wenn ich mit dem Anfang beginne.

Nach ein bißchen Ärger konnte ich von London aus mit einem Bomber zurückfliegen. Um 18.30 Uhr landeten wir nach einem ruhigen Flug in München. Ich wählte die Nummer des Bataillons und bekam keine Antwort. Es war zum Verrücktwerden. Es ist unglaublich: Ich war ein paar Tage nicht da, und niemand tat Dienst. In meinem Zorn rief ich den diensthabenden Offizier des Regiments an und bat ihn, mir jemanden vom Bataillon zu schicken, der mich abholte. Nachdem ich zweieinhalb Stunden ungeduldig gewartet hatte, kam endlich ein Jeep – normalerweise dauert die Autobahnfahrt von Augsburg nach München nur eine Stunde. Der Fahrer erzählte mir alle Neuigkeiten.

Während meiner Abwesenheit war das Bataillon am letzten Samstag nach Landsberg verlegt worden. Man hatte sie erst kurz vorher davon in Kenntnis gesetzt, daß sie Teile eines Regiments ersetzen sollten, das in die Tschechoslowakei verlegt wurde. Jetzt bin ich so was wie der Oberherr oder der Häuptling von zwei *Landkreisen*, was un-

gefähr zwei kleinen Counties bei uns zu Hause entspricht. Heute morgen wurde mir gesagt, daß das Bataillon in einigen Wochen noch zwei *Landkreise* mehr übernehmen wird. Dann werde ich bald ein Statthalter sein, natürlich *junior grade*.
Im Moment bin ich bis über beide Ohren damit beschäftigt, unser Aufgabengebiet zu entwirren. Natürlich gibt es wieder das übliche Durcheinander mit den Wachmannschaften. Das geschieht immer, wenn mehr als eine Einheit abgelöst wird. Aber diesmal gibt es wirklich Komplikationen, dazu gehört auch ein kleines Schloß, in dem 58 deutsche Generäle und Admiräle sind. (...)
Das größte Problem ist das DP-Camp. Hier in der Stadt (Landsberg) gibt es ein Camp mit rund 6000 Männern, Frauen und Kindern. Davon sind ungefähr 5000 Juden, der Rest gemischt – hauptsächlich Ungarn und Angehörige verschiedener baltischer Völker. Sie sind in einer früheren Wehrmachtskaserne und einigen Holzbaracken am Stadtrand untergebracht. Die meisten Bewohner des Camps kommen aus Konzentrationslagern, vor allem aus Dachau und seinen Außenlagern in dieser Gegend hier.
Der Schmutz im Lager spottet jeder Beschreibung. Sanitäre Einrichtungen sind praktisch unbekannt. Mit Worten läßt sich das wirklich nicht beschreiben. Geleitet wird das Camp von einem UNRRA-Team und einigen Vertretern des American Joint Distribution Committee – das ist eine jüdische philantropische Organisation aus den Vereinigten Staaten. Diese Leute haben unter großen Schwierigkeiten gearbeitet. Die von uns abgelösten Armee-Einheiten haben lediglich dafür gesorgt, daß die Essensrationen an das Camp geliefert wurden. Mit wenigen Ausnahmen scheinen die Leute im Lager so demoralisiert zu sein, daß sie jede Hoffnung auf (...) die Zukunft aufgegeben haben. Offensichtlich sind die meisten ihrer Führer von den Nazis getötet worden. Nur wenige mutige sind übriggeblieben und haben ein Camp Committee gegründet, um wenigstens etwas zu tun. (...)

Heute nachmittag habe ich das Camp zum ersten Mal von innen gesehen. Das Camp Committee und Mr. George Craddock, der Leiter des UNRRA-Teams, kamen zu einem Gespräch mit mir zusammen. Ich sagte ihnen, in den Berichten, die ich erhalten hatte, stände, daß die Bedingungen im Lager entsetzlich seien. Ich bat sie, mich bei

meiner Besichtigung des Camps zu begleiten, so daß wir dieselben Dinge sähen. Was ich auf meinem Rundgang sah, bestätigte die Berichte. (...)
Nach der Inspektion sprach ich lange mit dem Camp Committee über die Maßnahmen, die ich zu ergreifen gedenke. Ich sagte einfach, daß die Army nach Europa gekommen sei, um gegen die Nazis zu kämpfen, und nicht, um ihre Opfer zu bewachen. Obwohl mir die Verantwortung für das Camp übergeben worden sei, erwartete ich, daß das Camp Committee Schritt für Schritt alle Angelegenheiten selbst in die Hand nehme. (...) Vorläufig bat ich sie, einen Plan auszuarbeiten, wie die sanitären Einrichtungen, der Brandschutz und die Schulen verbessert werden könnten, wie man eine zentrale Kantine einrichten, die administrative Selbstverwaltung der DPs wie die Camp Police und das Hausvorsteher-System effizienter gestalten und mehr Leute dazu bringen könne, sich an der Arbeit zu beteiligen. Mr. Craddock und das Committee schienen begeistert zu sein. Ich glaube, unser Gespräch wurde gut aufgenommen. (...)

20. September 1945

...Es ist 5.30 Uhr, und ich bin schon auf und angezogen. Niemand anders ist schon wach. In so kurzer Zeit ist so viel passiert, daß ich nicht schlafen kann. Seit meinem Aufenthalt in London scheinen Jahre vergangen zu sein. Nach meinem Brief von letzter Nacht bist Du jetzt sicherlich ebenso verwirrt wie ich. Vor der großen Besichtigung heute morgen kann nicht viel getan werden – deshalb nutze ich die Gelegenheit, Dir das Camp genauer zu beschreiben. Es ist in einer ehemaligen Wehrmachtskaserne der Artillerie untergebracht (...). Die Gebäude, die Blocks genannt werden, sind zweistöckig und aus Ziegelsteinen. Diese Art von Unterkünften ist typisch für alle dauerhaften Armeegebäude. Waschräume und Latrinen sind gekachelt. Aus militärischer Sicht sind die Gebäude modern und gut. Um darin Familien unterzubringen, könnten sie kaum ungeeigneter sein.
Die DPs schlafen in Kojen aus ungehobeltem Holz, oft zwei- oder dreistöckig übereinander. Als Matratzen dienen Strohsäcke. Die Bettwäsche besteht aus schäbigen grauen Wehrmachts- oder US-Army-Wolldecken. Laken scheinen unbekannt zu sein. Nur im Camp-Krankenhaus und bei einigen Personen, die auf dem Schwarzmarkt tätig

sind und ihre eigenen Quellen haben, sieht man welche. Die Leute haben enge Spinde aus Holz, in denen sie (oder manchmal auch in einer Holzkiste, einem verbeulten Koffer oder Rucksack) ihre weltlichen Besitztümer, Lebensmittel und Utensilien aufbewahren.
Um wenigstens etwas Privatsphäre zu ermöglichen, sind die Spinde so aufgestellt, daß sie den Raum unterteilen. Auch über Leinen gehängte Decken, Anschlagtafeln und Bretter werden – nicht sehr erfolgreich – dazu benutzt, den ewigen Blicken der Nachbarn zu entkommen. Das starke Bedürfnis der Menschen nach ein bißchen Privatsphäre, um Individuum und nicht Teil einer befohlenen Masse zu sein, hat mich sehr berührt. (...)
Die einzigen fest installierten Kochgelegenheiten sind in den beiden Gebäuden, die als zentrale Küchen vorgesehen waren. Sie sind einigermaßen ausgestattet, aber alles ist abgenutzt und unvollständig. Ein Teil der Kücheneinrichtung ging – so wurde mir gesagt – bei den Plünderungen im Durcheinander der letzten Kriegstage verloren. In beiden Küchen gibt es nur sehr wenig Raum zum Essen. Wahrscheinlich aßen dort zu Zeiten der Wehrmacht nur die Offiziere. Ich kann nur mutmaßen, wo die Mannschaftsgrade gegessen haben. Eine Küche ist koscher (nach den jüdischen Speisegesetzen), und die andere, etwas größere, wird von den Nichtkoscheren benutzt.
Meinen ersten Schock bekam ich am Tor des Camps. Der eiserne Zaun um die Kaserne ist durch freizügigen Gebrauch von Stacheldraht erhöht worden. Um die Kaserne patrouillieren bewaffnete Soldaten des Bataillons. Ein Soldat und ein Mitglied der Camp-Police stehen am Eingangstor. Die Leute dürfen das Camp nur mit Passierscheinen verlassen, die nur für jeweils einen Tag ausgestellt werden – und davon nur wenige pro Tag. Ich sah viele DPs am Zaun stehen und zusehen, wie die Deutschen frei die andere Seite der Straße entlanggingen. Das Bataillon hat das bestehende Wachsystem übernommen, aber ich werde das sofort ändern. (...)
In den behelfsmäßigen Schlafnischen der Wohnquartiere wird versucht, das Familienleben wiederzubeleben. Für jede Familiengruppe ist – so wurde mir erklärt – das gemeinsame Mahl der Höhepunkt des Tages. Tische und Stühle sind aus Holzresten und Kisten improvisiert. Beinahe jede Familie hat eine elektrische Kochplatte.
 Bei dieser Beanspruchung scheint es fast ein Wunder, daß das elek-

trische System noch nicht zusammengebrochen ist. In den Spinden liegen Kleidung, Essen und das ziemlich schmutzige Geschirr und Besteck durcheinander. Ich erfuhr, daß es kaum Möglichkeiten zum Abwaschen gibt. Die Betten waren ordentlich, aber es war kaum oder gar nicht gefegt worden. Hier und da hatten Familien makellose Bereiche. (...)
Die Toiletten sind unbeschreiblich. Ungefähr die Hälfte der Becken funktioniert nicht, ist aber mit Exkrementen gefüllt. Die Sitze fehlen entweder vollständig oder sind mit Exkrementen verschmiert und naß vom Urin. Es gab kein Toilettenpapier. Mir wurde gesagt, daß Toilettenwärter ernannt worden seien, aber nicht einer zeigte sich. Um mir diesen erbärmlichen Zustand zu erklären, wurde mir gesagt, daß der Wasserdruck in den Hauptrohren wegen der Kriegsschäden sehr niedrig sei. Doch in den untersten beiden Stockwerken jeder Baracke schien der Wasserdruck nicht so niedrig zu sein. Was allgemein niedrig war, war das Gefühl der Verantwortlichkeit für die gemeinschaftlichen Sanitäranlagen.
In den Waschräumen waren die meisten Becken nicht zu benutzen. Während unserer Besichtigung wuschen die Leute dort Geschirr und Töpfe ab. Die Essensreste wurden einfach in die Becken gespült. Die Utensilien wurden mit schmutzigen Lappen und altem Papier abgetrocknet und das Papier oft einfach auf den Boden geworfen. In den Waschräumen und Toiletten herrschte ein so beißender Geruch, daß ich mich fast übergeben mußte.
Ein weiterer Schock war der Besuch der beiden zentralen Küchen. Zuerst inspizierten wir die nicht-koschere Küche. Es war so dunstig, daß man kaum etwas sehen konnte. Der gekachelte Fußboden war so fettig, daß man kaum gehen konnte. Auf dem Boden lagen Kartoffelsäcke. Die Öfen und Kessel sahen aus, als ob sie seit Wochen nicht gesäubert worden wären. Sie waren vollkommen mit schwarzen Fett- und Essensresten verkrustet. Die Bestecke, Kochlöffel und andere Utensilien waren schmutzig. Ich nahm eine Schöpfkelle hoch, ließ sie aber sofort wieder fallen – sie war so fettig. Die Köche waren offenbar genauso schmutzig wie ihre Schürzen. Ich bat einen Koch, der etwas knetete, mir seine Hände zu zeigen. Seine Fingernägel waren mit Schmutz verkrustet, und seine Hände sahen aus, als ob er ein Radlager geschmiert hätte. In der Kühlkammer lag ein Fleischklumpen auf dem Boden. Alle Fleischhaken waren rostig und

schmutzig. Der Fleischblock, in der Nähe der Kühlkammer, bestand aus einem Baumstumpf und war mit altem, angetrocknetem Blut bedeckt.

Der kleine Speiseraum (*Kasino* genannt), in dem das Camp Committee und die Funktionäre essen, bildete einen willkommenen Kontrast. Die Tische und Stühle waren hübsch und sauber, und der Raum war schön hergerichtet. Bilder von Theodor Herzl, Ben Gurion, F. D. Roosevelt, Harry Truman, die Flagge Amerikas und der blau-weiße Davidstern schmückten die Wände. (...)

Die beiden Glanzpunkte auf der Inspektion waren das Camp-Krankenhaus und die Camp-Schulen. Im Krankenhaus sah ich nur wenige, unbedeutende sanitäre Mißstände. Die Angestellten des Krankenhauses kommen, mit Ausnahme einer Krankenschwester der UNRRA und einigen deutschen Schwestern, alle aus dem Camp. Dr. Nabriski, der für das Krankenhaus verantwortlich ist, hat erstaunliche Arbeit geleistet. Er hat ein fast vollständiges Krankenhaus mit 200 Betten und eine Schwesternschule aufgebaut. Angefangen haben sie mit nichts als leeren Gebäuden und Enthusiasmus, aber er und seine Helfer haben Einrichtung und Ausstattung erbettelt, geliehen und sogar gestohlen, um das Camp medizinisch versorgen zu können. UNRRA und die Armee haben bei der Ausstattung geholfen, aber es scheint einen ständigen Kampf darum zu geben. Die Armee stellt offenbar nur Dinge aus erobertem deutschen Bestand zur Verfügung. Diese Bestände scheinen weitgehend auszureichen, aber wegen des unglaublichen Bürokratismus ist es wirklich ein Kunststück, an sie heranzukommen. Das muß geändert werden.

Ich war erstaunt, als ich von Dr. Nabriski erfuhr, daß die gesundheitliche Verfassung der Leute im Camp ziemlich gut sei. Das scheint fast nicht möglich. Als er den ungläubigen Ausdruck auf meinem Gesicht bemerkte, sah er mich etwas schief an und meinte: «Denken Sie daran, wir sind alle Überlebende. Nur die Stärksten haben überlebt!»

Die Schulen des Camps waren beeindruckend. Unter der Leitung von Dr. J. Olejski, einem Absolventen des Konzentrationslagers, hat Landsberg ein bemerkenswertes Ausbildungssystem entwickelt. Trotz des Mangels an Geräten und ausgebildetem Personal hat er einige Werkstätten in Klassenräume und Berufsschulen umgewandelt. Die Kinder lernen jetzt lesen und schreiben. Die Erwachsenen erlernen erstmals Berufe. Ausbildung wird angeboten mit einer großen Auswahl fachlicher Qualifikation, darunter Schneiderei, alle Arten von Reparaturarbeiten wie Automechanik, Radiotechnik, Bauhandwerk und dergleichen. Alle Erwachsenen werden angenommen, frühere Ladenbesitzer und Kaufleute lernen, mit ihren Händen zu arbeiten. Es gibt eine Reihe von Abendkursen zu kulturellen Themen. (...)

20. September 1945

...Die meisten der Juden im Camp kommen aus Polen. Aber auch die baltischen Länder und Südosteuropa, einschließlich Griechenland, sind gut vertreten. Das Camp Committee hat sich selbst ernannt. Seine Mitglieder sind überwiegend Litauer und Letten. Soweit ich das beurteilen kann, sind sie alle bestens ausgebildet. Dr. Samuel Gringauz, der Leiter des Camp Committees, soll Richter am Obersten Gerichtshof Litauens gewesen sein. All die prominenten Mitglieder des Committees stecken bis über beide Ohren in der Politik. Irgendwie stehen sie alle in Verbindung mit einem zentralen Komitee für die befreiten Juden mit Sitz in München. Anscheinend übt dieses Münchner Komitee einen großen Einfluß auf alle Juden in Deutschland aus. Es ist ziemlich kompliziert und verwirrend, und ich bin nicht sicher, ob ich das alles schon richtig einschätzen kann. Ich hoffe, daß wir in nicht allzu langer Zeit unter unserer Aufsicht eine Wahl abhalten können, damit das Comittee demokratisch gewählt ist und die Leute im Camp wirklich repräsentiert. (...)

22. September 1945

...Heute morgen hat General Rolfe angerufen, und wir haben lange über die sanitäre Lage und andere Angelegenheiten des Camps gesprochen. Wir waren beide der Ansicht, daß die beiden zentralen Kantinen so bald wie möglich eingerichtet werden sollten. Wenn man die Leute davon abbringen könnte, in den Räumen zu essen und Lebensmittel in ihren Spinden aufzubewahren, würde sich ein großer Teil des sanitären Problems von selbst lösen. Ich bezweifle allerdings, daß es uns gelingen wird, die zentralen Kantinen zu einer dauerhaften Einrichtung zu machen. Zuerst einmal wird es vielleicht unmöglich sein, alle für eine Kantine benötigten Geräte und Utensilien, Töpfe, Pfannen, Geschirr, Besteck zu bekommen. Zweitens ist es fraglich, ob die Leute im Camp eine zentrale Kantine annehmen, selbst wenn wir das notwendige Zubehör zusammenhaben. Eine zentrale Kantine widerspricht dem Bedürfnis, das Familienleben wiederzubeleben – es steht der Privatsphäre und Würde einer Familie entgegen. Wenn alle Leute zur selben Zeit dasselbe Essen zu sich nehmen, wird das individuelle Gefühl von Freiheit und Unabhängigkeit nicht gestärkt. Dennoch scheint es keine andere Lösung des sanitären Problems zu geben, solange die Menschen in der Kaserne leben müssen.

Einen der alten Reitställe als Kantine herzurichten stellt uns vor große Probleme. Abgesehen von den sowieso nötigen Reparaturen und Klempnerarbeiten, werden wir einige Schwierigkeiten haben, die große Scheune zu heizen und mit Tischen, Stühlen und allen anderen Dingen auszustatten, die man braucht, um viele tausend Menschen zu versorgen. (...)

Heute nachmittag sprach ich noch kurz mit Mr. Craddock über die Zusammensetzung der Leute im Camp. Mir scheint, daß wir einige Probleme weniger hätten, wenn die nichtjüdischen Teile der Camp-Bevölkerung – das ist eine Minderheit – in andere Camps überstellt würden, so daß man aus Landsberg ein ausschließlich jüdisches Camp machen könnte. Die Verwaltung und soziale Fürsorge wären dann einfacher. Die Juden unterscheiden sich sehr voneinander, aber ihre Interessen sind grundsätzlich gleich. Trotz der großen Unterschiede unter ihnen, was Politik und angemessenes religiöses Verhalten anbelangt, sind sie sich in einigen wichtigen Fragen einig – sie hassen die Deutschen, und sie wollen Europa unbedingt verlassen. Mr. Craddock stimmte mir zu, meinte aber, daß es ihm leid täte, diejenigen von der Camp-Bevölkerung zu verlieren, die am wenigsten Ärger machen. Morgen werde ich mit General Rolfe darüber sprechen...

24. September 1945

...Seit wir hier sind, bereitet es uns Sorge, wie wir das Camp winterfest machen können. Die Kühle heute morgen hat mich daran erinnert, daß uns die Zeit davonläuft. Als wir das Camp übernahmen, waren einige hundert Kubikmeter Feuerholz vorhanden. Schätzungsweise 3000 Kubikmeter brauchen wir für drei Monate zum Heizen. Wir waren entsetzt, als wir hörten, daß Mr. Craddock und

unsere Vorgänger nichts wegen des Brennstoffs unternommen hatten. Mr. Craddock hatte angenommen, daß sich die Army auf irgendeine geheimnisvolle Weise rechtzeitig um dieses Problem kümmern würde.
Zuallererst müssen wir die Gebäude winterfest machen. Das ist relativ einfach. Gestern wurde uns versprochen, daß uns Abgesandte einer technischen Einheit dabei helfen werden, vorausgesetzt, das Camp stellt Leute bereit, die mit Hand anlegen. Die Heizung bereitet uns große Kopfschmerzen. Das vorhandene zentrale Heizsystem kann nicht benutzt werden, weil es keine Kohle gibt. Auf Grund technischer Probleme mit den Rosten kann kein Holz benutzt werden. General Rolfe hat uns mitgeteilt, daß die Army uns mit einer ausreichenden Anzahl von Holzöfen für die einzelnen Räume versorgen wird.
Wir haben Glück, daß der *Landkreis* Landsberg große Wälder besitzt. Der Kreis Landsberg hat dem Camp einige Gebiete zugeteilt und uns Förster zugewiesen, die das Holzschlagen überwachen sollen, sobald wir anfangen würden. Ehrlich gesagt glaube ich, daß sie uns die Förster so schnell zur Verfügung gestellt haben, damit die Wälder nicht geplündert werden. Einige ihnen von Zeit zu Zeit zugesteckte Schachteln Zigaretten machen sie sicherlich kooperativ. Die Motorsägen zusammenzukriegen ist ein anderes Problem. Das Division Headquarters hat versucht, über reguläre Kanäle welche für uns zu bekommen – aber ohne Erfolg. Es scheint, als ob alle Motorsägen im Gebiet des Corps gebraucht werden, um Kisten und Kästen für die Einheiten zu bauen, die in die Vereinigten Staaten zurückkehren, oder sie sind an die Militärregierung ausgeliehen, um den zivilen Brennstoffbedarf zusammenzustellen. Durch einen glücklichen Zufall sind wir an eine besondere Waldarbeitereinheit geraten, die nichts mehr zu tun hat. Ich bin immer noch erstaunt darüber, wie viele verschiedene Arten von Einheiten es in der Army gibt. Egal, der Versorgungsoffizier der Abteilung hatte viel Verständnis für unsere Bitte. Sein Verständnis nahm greifbarere Formen an, als ihm zwei Flaschen amerikanischen Schnapses überreicht wurden. Er lieh uns nicht nur einige Motorsägen, sondern versorgte uns auch mit einigen Männern, die den unsrigen zeigen können, wie man mit den Sägen umgeht. Und dann werden unsere Männer die Leute aus dem Camp in die Details der Arbeit einweisen. Dieser Sergeant muß

in seiner Kompanie ein ziemlich einflußreicher Mann sein. Ich glaube nicht, daß der Kommandant der Kompanie weiß, daß wir die meisten seiner Sägen haben. Ich brauche Dir nicht zu sagen, daß ich die zwei Flaschen Schnaps wieder ersetzen mußte – zum Glück trinke ich nicht viel, meine Schnapsration hat sich schon angesammelt. Wir drücken alle die Daumen und hoffen, daß es keinen frühen Kälteeinbruch gibt und daß wir täglich eine Holzfällergruppe aus dem Camp zusammenkriegen. (...)

25. September 1945

...wenn alle anderen in der Army am Samstagnachmittag und am Sonntag arbeiten würden, könnte mehr geschafft werden. Ich habe das Gefühl, daß dieses Wochenende irgendwie vergeudet war. Wir könnten viel mehr erreichen, wenn andere auch arbeiten würden. Aber wenigstens einige Dinge sind an diesem Wochenende erledigt worden.

Heute morgen habe ich auf einer Zusammenkunft mit dem Committee meinen Plan vorgestellt, wie das Camp neu organisiert werden könnte. Ich habe Dir neulich schon darüber berichtet. Ich habe betont, wie wichtig es ist, daß möglichst viele Leute im Camp arbeiten, und ihnen die meiner Ansicht nach notwendigen Maßnahmen dazu erklärt. Alle stimmten mir zu, daß es wichtig sei, so viele Arbeiter wie möglich zu bekommen, aber sie bezweifelten, daß irgendein Plan, der auch auf Zwang beruht, Erfolg haben würde. Das Committee bestand darauf, daß die Menschen im Camp nach ihren Erfahrungen im Konzentrationslager psychisch noch nicht in der Lage seien, um sich von irgend jemandem zur Arbeit zwingen zu lassen. Ich dagegen habe argumentiert, daß es keine wirklichen Einwände geben könne, wenn sie von ihren eigenen Leuten zur Arbeit beordert würden. Ich habe immer wieder betont, daß sie niemand bedienen würde – und daß sie für sich selbst arbeiten müßten. Die Army, so erklärte ich, würde die Mittel zur Verfügung stellen – so hoffe ich jedenfalls. Schließlich kamen wir überein, meinen Plan auszuprobieren; bis Mittwoch morgen haben sie Zeit, die Einzelheiten auszuarbeiten. Als nächsten Schritt müssen wir ein allgemeines Camp Meeting einberufen, auf dem ich mit Hilfe eines Dolmetschers erklären werde, was für eine Politik wir verfolgen werden und warum. Danach wird das Committee die Einzelheiten erläutern.

(...) Das Camp Committee ist hinter mir. Ich soll die vollständige Selbstverwaltung des Camps erlauben. Das Wort, das sie immer wieder benutzen, ist «Autonomie». Natürlich ist das jetzt unmöglich. Ihr drängender Wunsch nach Autonomie stammt offenbar aus zwei Wurzeln. Erstens verwahren sie sich dagegen, so behandelt zu werden, als seien sie auf ausländisches Wohlwollen angewiesen und keine freien Bürger. Nach all ihren Opfern und Leiden finden sie es zweifellos unerträglich, von Wohltätigkeit abhängig zu sein und im wahrsten Sinne des Wortes an der Hand geführt zu werden. Es wurmt sie sicherlich, daß ihr Privatleben reguliert und ständig inspiziert wird, während die Deutschen ein relativ freies Leben führen. Ich bin sicher, sie fühlen sich immer noch als Gefangene, auch wenn sie nicht mehr der extrem harten Behandlung durch die Nazis unterliegen.

Zweitens will das Camp Committee wahrscheinlich die Autonomie sichern, um sein Prestige und seinen Einfluß im Münchner Komitee zu erhöhen. Ich merke täglich mehr, wieviel Macht und Einfluß das Münchner Komitee auf die Juden hat. Sie betrachten es als ihren Vertreter und Sprecher. Ich glaube, daß allgemein angenommen wird, das Komitee werde bald dafür zuständig sein, die Papiere auszustellen, die für die Einreise nach Palästina notwendig sind.

Heute habe ich erfahren, daß die jungen und besten Elemente im Camp in Kibbuzim organisiert sind. Offenbar ist ein Kibbuz eine fest zusammenhaltende, sich selbst disziplinierende Gruppe mit dem starken Drang, nach Palästina auszuwandern. Dort wollen sie in einer Art Landkommune zusammenleben und ihr Leben nach den Ideen eines idealistischen Kollektivismus ausrichten. Jeder Kibbuz ist wie ein Clan und interessiert sich kaum für das Leben im Camp. Die Kibbuzim wollen, daß ich ihnen Bauernhöfe von Nazis überlasse. Sie wollen diese Höfe nur so lange haben, bis sie nach Palästina auswandern. Als Einzelpersonen weigern sie sich, auf deutschen Höfen zu arbeiten. Sie haben gute Ideen, aber ich kann ihnen nicht helfen. Alles was ich weiß, ist, daß sie im Camp sind und Probleme machen. Abgesehen davon gibt es noch andere Probleme – z. B. die Leute, die nur koscher essen und die, die nicht arbeiten wollen. Wenn es wenigstens eine Art von Leuten gäbe, mit denen man zusammenarbeiten könnte, wäre alles nicht so schwer ... (...) Im Moment stehen wir vor dem dringenden Problem, daß wir Holz für den Winter schlagen müssen. Sonst habe ich fast alle notwendigen Vorkehrungen getroffen, aber es fehlen noch die Holzarbeiter aus dem Camp. Zum Glück ist mir etwas eingefallen: Ich habe den Kibbuz-Leuten gesagt, daß, wenn sie in entsprechendem Maße dazu beitragen würden, Holz für das Camp zu fällen, sie die Gebäude allein benutzen dürften, die bisher von den nichtjüdischen Litauern besetzt waren, die nächste Woche nach Augsburg umziehen werden. Die Kibbuzim waren sehr begeistert von der Aussicht, einen eigenen Bereich zu erhalten. Natürlich versprachen sie, die Gebäude sauber zu halten, auf Disziplin zu achten usw. usw. Ich habe mir viel Mühe gegeben, das Holzfällen als Ausbildungsprojekt darzustellen. Vielleicht habe ich etwas zu dick aufgetragen, als ich von den Wäldern in Palästina sprach und von der Ausbildung an amerikanischen Motorsägen, unter Aufsicht von erfahrenen deutschen Förstern und so weiter. Alles ist vorbereitet, aber ich muß noch genügend Lastwagen auftreiben, mit denen das geschlagene Holz gefahren werden kann. Im Moment weiß ich noch nicht, wo ich sie herbekommen soll, aber ich werde es schon schaffen. Ich glaube, daß wir jetzt eine zuverlässige Gruppe von Holzarbeitern haben. Alle sind sie hinter mir her, daß wir den notwendigen Brennstoff für den Winter einbringen. (...)

4. Oktober 1945

Jetzt, wo der Sturm nachgelassen hat, kann ich mich entspannen und Dir schreiben. Gestern abend saß ich auf einem Pulverfaß, das jederzeit auf den Titelseiten der Zeitungen bei uns zu Hause hätte explodieren können. Ich lief durch die Gegend und hoffte die ganze Zeit, daß ich in irgendein passendes Loch fallen und mit einem gebrochenen Bein ins Krankenhaus geschafft werden würde.
In meinem letzten Brief habe ich Dir geschrieben, daß General McBride uns besucht hat und in welch schlechtem Zustand das Camp ist. Im selben Brief wollte ich noch schreiben, daß er auf die Überbelegung des Camps hingewiesen hat und auf den Druck, dem er ausgesetzt sei, die Bedingungen für die Juden zu verbessern. Offenkundig nach Telefonanrufen verschiedener hochgestellter Ränge forderte General McBride das Quartier einer Pioniereinheit außerhalb Landsbergs an, um zusätzlichen Raum für die Leute im Camp zu schaffen. Wir bekamen den Befehl, einige deutsche Häuser

in der Nähe zu übernehmen (...). Um 7.30 Uhr gestern morgen rief General Rolfe an, informierte mich darüber und ordnete an, den Umzug so schnell wie möglich durchzuführen. Den Pionieren wurde bis Mittag Zeit gegeben, ihr Quartier zu räumen.
Gegen Mittag hatte die Neuigkeit im Lager die Runde gemacht, und die Leute kamen heraus, um zuzusehen, wie die Deutschen vertrieben wurden. Für die DPs war es ein Festtag. Im Verlauf der nächsten drei Stunden passierte alles, was nur passieren konnte. Zuerst erhoben die DPs Einspruch dagegen, daß die Deutschen etwas wegtrugen. Die DPs behaupteten, daß sie die Gegenstände dringender benötigten als die Deutschen. Dann erschien die Camp-Police und fing an zu untersuchen, was die Deutschen mitnahmen. Kurz danach gingen die Leute aus dem Camp direkt in die Häuser, sogar bevor sie geräumt worden waren. Und als nächstes in alle Häuser in der Nachbarschaft. Und es dauerte nicht lange, da begannen sie, die Häuser in der Nähe des Lagers zu plündern.
Zuerst versuchte ich, die Camp-Police die Plünderungen unterbinden zu lassen, aber bald merkte ich, daß einige der Polizisten selbst daran teilnahmen. Das spricht um so mehr für die vielen anderen Polizisten, die versuchten, die Ordnung aufrechtzuerhalten. Ich fürchtete, daß uns die Situation schnell aus der Hand gleiten könnte, und mobilisierte alle verfügbaren Soldaten. Und so räumten wir die Stadt von allen DPs, auch von den Polizisten, und brachten sie zurück ins Camp. Ich ließ alle Straßen patrouillieren, schloß die Tore des Camps und ließ das Camp bewachen, so daß die Leute nicht hinauskonnten. Heute morgen habe ich das System mit den Passierscheinen wieder eingeführt und niemandem die Erlaubnis erteilt, das Camp zu verlassen, mit Ausnahme von denen, die nachweisen konnten, daß sie Wichtiges außerhalb des Lagers zu erledigen hatten.
In der Stadt kursierten die wildesten Gerüchte. Ich zähle Dir nur ein paar der beliebtesten auf: (1) zwischen 11.00 Uhr und 13.00 Uhr seien alle DPs aus dem Camp gelassen worden, um nach Herzenslust zu plündern, und (2), daß die gesamte Stadt Landsberg den Juden überlassen worden sei. Am Abend (und in der Nacht) trugen die Deutschen bis zur Sperrstunde Gegenstände hinein und wieder heraus. Heute morgen fing es wieder an. Mir wurde berichtet, daß heute morgen Banken und Geschäfte geschlossen seien. Andere Ein-

heiten in der Gegend riefen an und sagten mir, daß ihre deutschen Angestellten nicht zur Arbeit kämen, weil sie zu Hause bleiben und ihren Besitz verteidigen müßten. (...)
Ich veranlaßte Lt. Bell und einen Offizier der Militärregierung dazu, den *Bürgermeister* zu besuchen und ihm zu sagen, daß keine weiteren Plünderungen mehr geschehen würden. Ihm wurde mitgeteilt, welche Häuser beschlagnahmt worden seien, und es wurde ihm versichert, daß es zur Zeit dabei bleiben würde. Wenn wir in Zukunft weitere Häuser requirieren sollten, würden wir ihm 24 Stunden vorher Bescheid geben, zusammen mit einer schriftlichen Liste der Gegenstände, die nicht aus den Häusern entfernt werden dürften. Des weiteren wurde ihm mitgeteilt, daß jeder, der Gerüchte verbreitete, die zu Aufruhr und einer Störung des Friedens führten, schwer bestraft werden würde.
Heute nachmittag kam General Rolfe auf einen schnellen Besuch. Alles war ruhig und friedlich. Morgen nachmittag wird er zu einer genauen Inspektion wiederkommen. (...) Jetzt, wo ich über das Geschehene der letzten Tage nachdenken kann, erkenne ich, daß die Ursache für alles Folgende diese kurze Notiz an mich war, die besagte, daß ich ein neues Gebiet für die Leute im Camp evakuieren sollte. Zum Glück ist nichts Ernstes passiert. Zeitweise hätte sich die Situation zu bewaffneten Auseinandersetzungen zwischen den Deutschen und den Juden ausweiten können. Wenn das passiert wäre, wäre ich sicherlich gezwungen gewesen, Gewalt anzuwenden und möglicherweise einen Schießbefehl zu erteilen, um die Ordnung wiederherzustellen. Im Moment verfüge ich in Landsberg über nicht mehr als 80 Mann. (...)
Da wir nur so wenig Zeit hatten, mußten wir die Deutschen selbst davon in Kenntnis setzen, daß sie ihre Häuser zu räumen hatten. Leider hatten wir keine Zeit mehr, auch den *Bürgermeister* und die örtlichen Militärbehörden vorher zu informieren. Wir hatten zwar rechtzeitig daran gedacht, aber wir wollten nicht warten, bis sie endlich in ihre Büros kamen, was nicht vor neun Uhr geschieht. Rolfe, der um 7.30 Uhr anrief, hatte mich zur Eile angehalten.
Im Rückblick gesehen wäre es klüger gewesen, die Ausführungen der Befehle von General McBride und General Rolfe etwas zu verzögern und die Räumung der deutschen Häuser besser zu organisie-

ren. Es wäre besser gewesen, wenn wir das Gebiet der neu beschlagnahmten Häuser von Soldaten hätten absperren lassen, bis die Häuser geräumt waren. Wir hätten den *Bürgermeister* und die örtliche Militärregierung benachrichtigen und den Räumungsbefehl von einheimischen deutschen Polizisten überstellen und ausführen lassen sollen. Dann wären wir nicht direkt daran beteiligt gewesen. (...)
Die Reaktion der Leute im Camp kam nicht unerwartet. Wenn mich die dringenden Angelegenheiten nicht so sehr in Anspruch genommen hätten, wäre mir sicherlich nach kurzem Nachdenken klargewesen, daß das geschehen mußte: Die Leute im Camp hatten einen unsterblichen Haß auf die Deutschen. Aber sie hatten fast keine Gelegenheit, ihren Rachedurst (...) zu befriedigen. Jetzt glaubten sie, daß sich die Verhältnisse geändert hätten. Sie erinnerten sich lebhaft an die Zeiten, als die Deutschen sie aus ihren Häusern geworfen hatten, um sie in Ghettos und Konzentrationslager zu sperren. Wie sie mir sagten, waren ihnen auch noch die wenigen Dinge weggenommen worden, die sie hatten mitnehmen dürfen. Jetzt wurden die Deutschen vertrieben. Die Deutschen wurden nicht in den Tod oder in Folterlager geschickt. Die Deutschen durften alles außer ihren Möbeln mitnehmen, und ihre Familien wurden nicht getrennt. Der Schritt vom Hohn zur Gewalt war klein. Eine einzige Plünderung setzte eine ganze Welle in Gang. Die DPs plünderten nicht nur, um sich materiell zu bereichern. Lange zurückgehaltene Gefühle wurden frei. Jedes Mal vergalten sie die schrecklichen Leiden, die sie hatten ertragen müssen.
Wenn man bedenkt, in welchem Zustand sich die Leute befanden, als die Plünderungen ihren Höhepunkt erreichten, dann spricht es für sie – und die Army –, daß sie unsere Anordnungen sofort befolgten und in das Camp zurückkehrten. Wenn die Army nicht so viel Vertrauen und Respekt gewonnen hätte, hätten sie auch die Soldaten bekämpft. (...)
Ich weiß, daß der Brief zu sehr nach einem Bericht klingt. Aber im Moment denke ich jede Minute an die DPs und die Probleme des Bataillons.
Du wirst mich so lange in diesem Zustand ertragen müssen, bis sich die Dinge geklärt haben und ich auch an anderes als die tägliche Arbeit denken kann. Dennoch weiß ich immer, wie sehr ich Dich

und das Baby vermisse. Wenn Du hier wärest, wäre alles sehr viel besser. Nicht nur, daß ich Dich sehr vermisse, Du würdest mir auch helfen, die Dinge klarer zu sehen...

11. Oktober 1945

(...) Heute sah ich etwas, was mich sehr berührt hat. Vor dem Büro des Camp Committees sah ich zwei Männer, die sich in den Armen lagen und weinten. Es waren zwei Schwager, die sich wiedergefunden hatten. Mir wurde gesagt, daß sie die einzigen Überlebenden einer Familie von über 50 Personen waren. Durch Mund-zu-Mund-Informationen und UNRRA-Listen hatte einer von ihnen den anderen schließlich im Landsberg-Camp gefunden, nachdem er ganz Westeuropa durchquert und nach überlebenden Familienangehörigen gesucht hatte. Was die Nazis den jüdischen Familien in Europa angetan haben, überschreitet jede Vorstellung. Familien wurden unbarmherzig auseinandergerissen, und Millionen starben in den Konzentrationslagern – und es gibt keine Aufzeichnungen darüber. Die Mühen, die die Juden auf sich nehmen, um ihre Familien wieder zu vereinen, lassen sich kaum beschreiben. Ich weiß von einer Frau im Camp, die über 700 Meilen gereist ist und einige Grenzen überschritten hat, um auf einem Grabmal eine Nachricht zu hinterlassen in der Hoffnung, daß ein weiteres überlebendes Mitglied ihrer Familie auch zu dieser Familiengrabstätte kommen würde. Sie haben eine Art Mund-zu-Mund-Telegraphie entwickelt, die Nachrichten über alle Grenzen hinweg übermittelt. Langsam finden sich einige Familien wieder zusammen. Menschen, die in Deutschland befreit wurden, nehmen Kontakt zu Verwandten in Polen und anderswo auf, die es schafften, sich in der Zeit der Verfolgung durch die Nazis zu verstecken. Fast immer werden diese Verwandten in die heilige Zufluchtstätte der amerikanischen Zone gebracht. (...)

12. Oktober 1945

(...) Das Problem mit der Unterbringung wird wahrscheinlich noch größer werden, bevor sich die Lage bessert. Wie Rabbi Rosenberg mir sagt, hat Landsberg unter den Juden den Ruf, das beste jüdische DP-Camp in Europa zu sein. Die Nachricht verbreitet sich schnell, und, so sagt er, Juden aus ganz Europa sind auf dem Weg hierher. Wie es scheint, kommen um so mehr Leute, je mehr wir tun, um die

Bedingungen im Camp zu verbessern. Ich weiß keine Lösung dafür. Wir werden die Leute zwingen müssen, nach Föhrenwald zu gehen, oder wir müssen ein neues Camp einrichten oder die Deutschen aus Landsberg vertreiben. Eine Lösung kann nur von höherer Ebene kommen. Ich habe die Befugnis, Neuankömmlingen die Aufnahme zu verweigern und sie nach Föhrenwald zu schicken, sofern sie keine nahen Verwandten in Landsberg haben. Aber das ist leichter gesagt als getan, und es gibt praktisch keine Möglichkeit, das zu kontrollieren.

Immer mehr Leute aus Polen und anderen Teilen Europas kommen hierher. Viele von ihnen kommen wegen der chaotischen ökonomischen Situation in Europa und weil sie glauben, daß es einfacher sei, von einem DP-Camp in der amerikanischen Zone aus nach Palästina zu gelangen. Palästina steht für die Lösung all ihrer Probleme. Das wurde mir von einem DP-Mädchen erklärt, das für das Camp Committee arbeitet. Von ihrem 15. bis zu ihrem 20. Lebensjahr lebte sie in einem von Deutschen bewachten Ghetto in Litauen. Sie hatte Glück, daß sie den Schrecken der Konzentrationslager entkommen konnte. 1944 wurde das Ghetto von den Russen befreit. Kurz nach der Befreiung heiratete sie ihren Liebsten, den sie im Ghetto kennengelernt hatte. Ohne Aussicht, sich ihren Lebensunterhalt verdienen und ein normales Familienleben führen zu können, schlugen sie und ihr Mann sich nach Kriegsende in die amerikanische Zone durch. Ihre Methode, die amerikanisch-russische Grenze zu überqueren, war sehr einfach. Sie liefen fünf Kilometer durch den Wald und umgingen so den kontrollierten Grenzübergang. Sie wollen nur so lange im Camp bleiben, bis sie herausgefunden haben, wie sie nach Palästina kommen und ein neues Leben beginnen können.

Wenn ich die Leute ihre Geschichten erzählen höre, bin ich immer erstaunt, wie sie sich durchschlagen. Um Grenzen scheinen sie sich nicht zu kümmern. Neulich lernte ich einige Männer kennen, die sich auf gefälschte Papiere spezialisiert haben. Sie erlernten ihre Fertigkeiten, weil es in der Zeit der Nazi-Verfolgung notwendig war. Ihre Spezialität sind Pässe. Einer bot mir an, mir jeden gewünschten Paß anzufertigen. Ich brauche Dir nicht zu sagen, daß ich dieses freundliche Angebot ablehnte und mich weigerte, mir Beispiele ihrer Kunst anzusehen. (...)

...Gestern abend hatten wir eine Besprechung mit allen im Camp arbeitenden Soldaten und dem neuen Stab der UNRRA. Jeder Soldat erzählte, welche Probleme er bei der täglichen Arbeit hat. Die Soldaten sind an praktisch jeder amtlichen Tätigkeit im Camp beteiligt. Die neuen Leute der UNRRA konnten sich ein konkretes Bild davon machen, wieviel es braucht, um das Camp am Laufen zu halten. Sie waren vollkommen überrascht von dem Ausmaß der Probleme und der Arbeit, die noch getan werden muß. Ich befürchte, daß die Leute der UNRRA es wirklich schwer hätten, wenn wir alle Leute, die jetzt im Camp arbeiten, abziehen würden. Das Team ist immer noch weit unterbesetzt, und wir tun, was wir können, um mehr Mitarbeiter zu bekommen. Denn schon bald werden sie die Verantwortung für das Camp ganz übernehmen müssen.
Eines unserer vielen Probleme ist die gerechte Verteilung von Gütern an Einzelpersonen. So wie es jetzt aussieht, geschieht sie eher aufs Geratewohl. Diejenigen, die nicht arbeiten, sind fein raus, weil sie den ganzen Tag lang klagen und ihren individuellen Fall vortragen können. Die, die den ganzen Tag lang arbeiten, sind nicht so gut dran. Wir unternehmen jetzt etwas, um diese Situation zu verbessern. Was wir wirklich bräuchten, ist ein UNRRA-Mann, der sich nur mit dem Problem der Verteilung beschäftigt.
Heute haben die Fahrer des Camps gestreikt. Die DP-Fahrer im Camp sind eine ziemlich rauhe Meute. Sie hatten uns zeitweise in der Hand, da es keinen ausgebildeten Ersatz für sie gibt. Ohne Fahrer würde das Leben im Camp stillstehen, da für fast alles, was das Leben dort angeht, Lastwagen benötigt werden. Die Fahrer haben es mir ziemlich übelgenommen, daß ich ihnen einen amerikanischen Soldaten vor die Nase gesetzt habe, der die Ausgabe von Benzin kontrollieren soll – das hat ihre Schwarzmarkt-Aktivitäten empfindlich gestört. Sie haben die neuen Fahrer, die wir jetzt ausbilden, bedroht. Heute morgen hatten wir die Nase voll, und ich habe durchgegriffen. Ich habe sie verwarnt: Wenn sie noch einmal streiken oder ihre Grenzen überschreiten, werfe ich sie raus. Falls es nötig wird, lasse ich amerikanische Soldaten die Lastwagen fahren, bis wir genug ausgebildete Fahrer bekommen können. In der Zwischenzeit haben wir angefangen, etwas gegen ihre berechtigten Beschwerden zu unternehmen. Dr. Gringauz hat mir gesagt, daß die Leute im Camp den

jetzigen Fahrern nicht trauen. In den Tagen der Konzentrationslager sind viele von ihnen für die Deutschen gefahren, bei denen Fahrer auch immer knapp waren. Sie werden verdächtigt, bei vielen zweifelhaften und dunklen Geschäften mit den deutschen Wachen zusammengearbeitet zu haben. Sie sind wirklich eine ziemlich verderbte Meute, und wir haben vor, sie bald loszuwerden...

(...)

Ich habe Ärger mit dem Leiter der örtlichen Abteilung der Militärregierung. Ich habe den Eindruck, daß er die Lage hier nicht begreift. Er hat eine richtige Phobie vor den Schwarzmarkt-Aktivitäten. Obwohl er das Gegenteil behauptet, scheint er davon überzeugt zu sein, daß sie ausschließlich auf das Konto der Leute im Camp gehen. Sie haben zweifelsohne auch damit zu tun, aber ganz Deutschland ist ein einziger Schwarzer Markt. Es ist schon soweit gekommen, daß er die Juden auf der Straße anhalten und sie öffentlich durchsuchen läßt. Dabei hat er einige ziemlich grob behandelt. Die Leute im Camp hassen ihn aus ganzem Herzen. Ich habe schon mit ihm gesprochen und ihm gesagt, daß er damit aufhören muß. Jetzt schreibe ich einen Bericht an die Division, und ich hoffe, daß er bald versetzt wird. Ein einziger wie er kann die gesamte gute Arbeit, die die Army zu leisten versucht, wieder kaputtmachen.

(...)

Heute abend war ich zu einem gesellschaftlichen «Tee» bei Dr. Gringauz und einigen anderen Mitgliedern des Camp Committees eingeladen. Ich war vollkommen überrascht. Sie servierten Kaffee und verschiedene Sorten Gebäck, darunter auch einige feine Torten. Ich weiß, daß sie das nicht aus dem Camp haben können. Und ich bin auch sicher, daß sie sich nicht an den Schwarzmarkt-Geschäften beteiligen. Ich weiß nicht, woher sie sie haben. Aber ich versuche, das schnell herauszufinden. Das wird eine gute Geschichte werden...

22. Oktober 1945

Der Wahltag gestern war faszinierend. Es gab eine kleine handgreifliche Auseinandersetzung zwischen einigen Parteigängern, die etwas zu feurig geworden waren. Vor den Wahllokalen verteilten die Leute noch bis zur letzten Minute Flugblätter. Eine Partei mietete einen Lastwagen und dekorierte ihn mit Plakaten und Girlanden. Der Lastwagen fuhr viele Stunden lang – mit singenden und schrei-

enden Leuten drauf – durch das Camp. Ein Redner auf der großen Veranstaltung am Abend vorher bemerkte: «Es ist nur zu richtig, daß die erste freie Wahl unter Juden seit ihrer Befreiung in der Stadt abgehalten wird, in der Hitler *Mein Kampf* geschrieben hat.»
Der eigentliche Ablauf der Wahl war vielen Leuten fremd. Es war für viele das erste Mal in ihrem Leben, daß sie wählen konnten. Einige Eheleute verstanden nicht, warum sie nicht zusammen in die Wahlkabine gehen konnten, um ihr Kreuz zu machen. Ein Mann wurde sehr ungehalten, als ich ihm geduldig erklärte, daß er nicht für seine Frau und seine Tochter die Wahlzettel ausfüllen könne. Die Soldaten, die ich als Wahlhelfer mitgebracht hatte, fanden alles ziemlich aufregend.
In der Anwesenheit aller Kandidaten wurden die Stimmen gezählt. Es gab erstaunlich wenig falsch ausgefüllte Zettel. Das Endergebnis zeigte, daß der «Ichud»* mit einigem Vorsprung gewonnen hatte. Die Ergebnisse wurden Mr. Glassgold zur offiziellen Veröffentlichung übergeben. Wir fühlten uns sehr geschmeichelt, als uns alle Kandidaten, Gewinner und Verlierer, für die erfolgreiche und gerechte Durchführung der Wahl dankten.
Um die Aufregung des Wahltages noch zu steigern, wurde das Camp von Mr. David Ben Gurion – dem Kopf der zionistischen Organisation in Palästina – besucht. Für die Leute im Camp ist er ein Gott. Offenbar verkörpert er all ihre Hoffnungen, nach Palästina zu kommen. Er kam gerade aus England, wo er mit der britischen Regierung über eine vermehrte Immigration von Juden nach Palästina verhandelt hatte.
Mr. Ben Gurions Besuch kam vollkommen überraschend. Durch die Kanäle der Army hörte ich erst eine Stunde nach seiner Ankunft von seinem Besuch. Ich bemerkte zuerst etwas davon, als die Leute herauskamen und sich entlang der Straße nach München aufstellten. In den Händen hielten sie Blumen und schnell improvisierte Transparente und Plakate. Das Camp selbst war auf jede erdenkliche Art und Weise geschmückt. Niemals vorher hatten wir im Camp solche Energien gesehen. Ich glaube nicht, daß ein Besuch Präsident Trumans vergleichbare Aufregung verursacht hätte.

* «Ichud»: «Einheit». Überparteiliche Interessenvertretung der jüdischen DPs, die einer politischen Zersplitterung entgegenwirken wollte.

Ich hatte ein ziemlich langes Gespräch mit Mr. Ben Gurion und erklärte ihm die Lage im Camp und unsere Probleme. (...) Wir machten einen Rundgang, und ich zeigte ihm die schlimmsten Gebäude. Als er die Überbelegung sah, fragte er einige der Leute, warum sie nicht nach Föhrenwald ziehen wollten. Nachdem er ihre Antworten angehört hatte, sagte er zu mir: «Es wird lange dauern und schwer sein, ihren psychischen Zustand zu überwinden.» Er fragte sehr interessiert nach, ob wir einige Bauernhöfe für die Leute übernommen hätten. Ich erklärte ihm, daß wir machtlos seien, solange wir keine ausdrückliche Befugnis dazu bekämen. Er sagte mir, daß General Walter Bedell Smith großes Interesse daran bekundet hätte und es wahrscheinlich nicht mehr lange dauern würde, bis wir den Befehl erhielten. Ich hoffe, daß er recht hat. Viele der Leute, besonders die in den Kibbuzim, warten nur darauf, auf die Höfe zu kommen. Es würde uns auch helfen, die Überbelegung zu reduzieren und einigen Leuten ein normaleres Leben zu ermöglichen. Es gibt hier in der Gegend viele Bauern, die aktive Nazis waren.
Mr. Ben Gurion scheint die Lage hier genau zu durchschauen, und er ist offenbar ein Mann der praktischen Lösungen. Als er abfuhr, versicherte er, daß er unsere Probleme gut verstände, und er bemerkte: «In Palästina haben wir vergleichbare Probleme. Eine Schiffsreise verändert die Menschen nicht.» (...)

15. November 1945

Aus Protest wurde gestern – sowohl hier als auch in Föhrenwald – ein großer Hungerstreik abgehalten. Mit dem Streik wurde gegen die britische Ankündigung protestiert, 100000 Juden die Einreise nach Palästina, um die Präsident Truman gebeten hatte, nicht zu erlauben. Der Streik fand heute gleichzeitig mit einem in Palästina statt. Heute nachmittag hielten die DPs eine große Versammlung im Camp ab. Den Höhepunkt der Veranstaltung bildete ein Marsch in die Stadt zum Büro der Militärregierung, der ein Protestschreiben zur Weitergabe an Attlee* überreicht wurde. Ich hatte den Demonstrationszug erlaubt, obwohl die lokalen Militärbehörden dagegen waren. Der Demonstrationszug war gut organisiert und sehr diszi-

* Clement Richard Attlee, britischer Premierminister, 1945–51, Nachfolger Churchills

pliniert. Alle waren sehr erleichtert, als alles vorüber war, ohne daß es zu einem schweren Zwischenfall gekommen war. Der Marsch zum Marktplatz war sehr beeindruckend. Die DPs gingen in geordneten Reihen. Während sie gingen, sangen sie verschiedene Lieder, darunter die «Hatikvah», die sie als jüdische Nationalhymne ansehen. Auf dem Marktplatz stellten sie sich mit militärischer Präzision auf. Nach der Veranstaltung verließen sie den Platz auf halbmilitärische Art. Es war offensichtlich, sogar für zufällig Vorbeikommende, daß viele von ihnen eine militärische Ausbildung hatten.
Die Leute in der Stadt standen am Straßenrand und sahen zu. Sie waren totenstill. Ihr Schweigen stand in krassem Gegensatz zu den Liedern und Rufen der Demonstranten. Ich wünschte, ich hätte die Gedanken dieser einheimischen Landsberger lesen können. Ich bin ziemlich sicher, daß sie von der halbmilitärischen Formation der Demonstranten und ihrem offen zur Schau getragenem Widerstandsgeist ziemlich beeindruckt waren. (...)
Heute morgen wurde mir offiziell mitgeteilt, daß ich nicht länger für das Landsberger Camp verantwortlich bin. Als ich das dem Camp Committee mitteilte, meinten sie, das sei für sie eine schlechte Nachricht. Ich erinnerte sie an den Tag meiner Ankunft im Camp und daran, daß ich ihnen gesagt hätte, es sei unser Ziel, das Camp in solch einen Zustand zu bringen, daß sich die Army zurückziehen könne. Wir hoffen, daß schließlich auch die UNRRA nicht mehr als die Oberaufsicht führen wird und alle Angelegenheiten des Camps in die Hände seiner Bewohner übergehen werden. Jetzt, so sagte ich, hätte die Army ihr Versprechen eingelöst. Sie dankten mir für alles, was wir für das Camp getan hatten und baten mich darum, ihr Freund und Helfer zu bleiben.(...)

1. Dezember 1945

(...) Die Nachricht von der Verlegung des Bataillons war für die Leute im Camp ein Schock. Es berührt mich sehr zu sehen, wie ganz normale Menschen aus dem Camp unsere Leute auf der Straße anhalten und ihnen sagen, wie leid es ihnen tue, daß das Bataillon gehe. Ihre Dankbarkeitsbezeigungen helfen uns über den Schmerz des Umzugs etwas hinweg.
Die ganze Angelegenheit einer Verlegung unter diesen Umständen betrübt mich etwas. (...) Irgendwie fühle ich mich komisch dabei.

Aber ich finde keine Worte, um deutlich auszudrücken, was mich bewegt. Ich sollte zu Dir nach Hause kommen. Ich beende diesen Brief jetzt – mir ist jetzt weder nach Schreiben noch nach sonstwas zumute.

3. Dezember 1945

Als ich gestern abend von dem Bankett zurückkam, war es schon zu spät, um Dir noch zu schreiben. Das Bankett wurde zu Ehren von Capt. Trott und meiner gegeben. Trott ist einer der Offiziere der örtlichen Militärregierung und hat dem Camp sehr geholfen. Er sollte nach Hause zurückkehren, aber im letzten Moment erhielt er einen anderen Befehl. Jetzt bleibt er.

Ich war sehr überrascht über die netten Dinge, die beim Bankett über mich gesagt wurden. Ich will keine falsche Bescheidenheit üben, aber ich habe nie bemerkt, wieviel die Dinge, die ich getan habe, den Leuten im Camp bedeuten. Ich war fast sprachlos, als sie mir eine schöne Schweizer Uhr als Abschiedsgeschenk überreichten. So schön die Uhr auch ist, verglichen mit den Gefühlen, die sie begleiten, ist sie unwichtig. Sie bedeuten mir sehr viel mehr. Das UNRRA-Team überreichte mir ein Photoalbum. Die Karte, die dabei war, hat mich sehr gerührt. Ich schicke sie Dir noch. Die Reden, die sie hielten, haben mich erstaunt. Dr. Olejski und Dr. Gringauz sagten, daß ich für die Leute im Camp mehr als ein amerikanischer Offizier gewesen sei. Für die Leute im Camp, so sagten sie, stünde ich für das beste der amerikanischen Demokratie. Ich fiel fast vom Stuhl. (...)

Heute werde ich nach dem Mittagessen nach Augsburg fahren und meinen Kummer dadurch ersticken, daß ich ins Kino gehe und hinterher in den Offiziersclub. Ich muß mich etwas entspannen...

Aus dem Englischen von Susanne Klockmann

Gedächtnis. Schweigen.

Ein Briefwechsel zwischen John Berger und Nella Bielski

Nella, ich schreibe Dir aus Guernica. Es ist seltsam, hier unter Arkaden an einem Cafétisch im Zentrum einer kleinen Stadt zu sitzen, die ich mir, wie die meisten Menschen auf der Welt, fast mein ganzes Leben lang nach einem Gemälde vorgestellt habe. Auf dem Bild sieht man ein paar Dachziegel, ein zerbrochenes Fenster, eine Decke und eine Glühbirne. Der Rest ist Schmerz und Protest.

Heute ist Guernica eine saubere, geschäftige Einkaufsstadt mit Einbahnstraßen und Fußgängerzone. Meinem Café gegenüber ist ein Blumenladen mit einem Fleurop-Zeichen im Fenster.

Von dem Dorf Lumo aus kann man auf die Stadt hinunterschauen und erkennt, daß sie an einem natürlichen Siedlungsort angelegt wurde, an einem Fluß, der zwischen langgestreckten bewaldeten Hügeln dahinfließt. Aus einem Junkers 52-Bomber observiert, bot Guernica ein perfektes Ziel: flach ausgestreckt, überschaubar und wehrlos.

Am späten Nachmittag des 26. April 1937, einem Montag, schloß gerade der Viehmarkt. Das bekannte Bombardement dauerte drei Stunden, danach war die Stadt ausradiert.

Auf dem gegenüberliegenden Platz spielen ein paar Schulkinder mit unbändiger Konzentration Fußball. Über ihnen ragt die Pfarrkirche, dahinter liegt der öffentliche Park. (Das ganze an den Golf von Biscaya anstoßende Baskenland ist sehr grün.) Dort lagern junge Paare auf dem Rasen. Die Stadt ist so klein, daß die letzten Neuigkeiten immer schnell herum sind: Sie ist zu klein, um ein Geheimnis lange für sich zu behalten, aber klein genug, damit das Alltagsleben ohne Hast verläuft – bis auf die Eile, die einem eine verliebte Verwicklung aufträgt. An Wochenenden ist die örtliche Diskothek geöffnet.
Hinter dem Park, hinter den Paaren auf dem Grün, ist eine hölzerne Fußgängerbrücke, die zu einer weiteren Rasenfläche führt, und dort steht, groß wie eine Kapelle, Eduardo Chillidas Denkmal für die Opfer des Bombenangriffs. Es wurde 1988 errichtet und trägt den Titel: «Vaterhaus». Das «Haus» besteht aus einer Wand, die von einem schartigen Loch zerissen ist. Sein Wesen besteht aus einer Frage, die es an uns weitergibt: Sind die Toten durch das klaffende Loch verschwunden, oder kehren sie dadurch zurück, jetzt?
Nahebei steht eine Skulptur von Henry Moore – eine riesige Bronze: «Große Figur in einem Bunker». Ein Körper kniet zwischen zwei Händen, eine männlich, eine weiblich. Doch die beiden bergenden «Hände» sind gleichfalls Körper. Sie wirken von außen betrachtet wie der Körper eines Kriegers, von innen so, wie ein Fötus den Körper seiner Mutter als Kosmos empfinden mag.
Die Flugzeuge sowie ihre Besatzungen, die den Angriff auf die Stadt durchführten, gehörten zur Legion Condor, einer Elitefliegereinheit, die Göring nach Spanien entsandt hatte, um Franco zu unterstützen und die Blitzkrieg-Taktik zu erproben. Die Operation wurde geplant und geleitet von Wolfram von Richthofen, einem deutschen Fliegeras.
Am 27. April leugneten die spanischen Nationalisten, daß Guernica bombardiert worden sei und beschuldigten statt dessen die baskischen Kommunisten, die Stadt vor ihrem Rückzug in Brand gesteckt zu haben!
Ist es ein Gesetz des Teufels, daß auf Schamlosigkeiten stets Lügen folgen? Als ließe die ihnen eigene Feigheit den Frevlern keine Wahl. Ich verstehe es nicht.
Die Weltpresse gab das Ereignis je nach politischem Standpunkt wieder. Rechtsgerichtete Zeitungen akzeptierten zu weiten Teilen

die Lüge der Nationalisten. Die anderen brandmarkten das Bombardement als den barbarischsten Luftangriff der Geschichte. Es hatte kein militärisches Ziel gegeben.
Später plante und lancierte der gleiche Wolfram von Richthofen noch viele der Luftblitzkriege, die Europa Stadt für Stadt zerstörten. Gegen Ende des Krieges verloren die Alliierten ihre Gewissensbisse und machten ihrerseits – in einem noch verheerenderen Maß – Hiroshima, Nagasaki und Dresden dem Erdboden gleich und wählten deren Bevölkerung als Hauptziel.
All dies, so kann man sagen, hat hier begonnen. Heute abend ist es sonnig. Manchmal ein Traktor, sogar ein Eselskarren. Am ganzen Himmel steht keine einzige Wolke, die Menschen flanieren durch die Straßen, sie kaufen Gebäck, lesen Zeitungen, plaudern, sorgen sich wegen der Arbeitslosigkeit. Wenn ich Dir von hier schreibe, dann vor allem, weil ich an eine Stadt in Bayern denke – Landsberg. Beides, Guernica und Landsberg, sind Kleinstädte, wo Menschen an ihren Qualen verzweifelten, und in beiden trugen die Mörder, die den Tod brachten, die gleichen gefürchteten Abzeichen.
Doch während die eine Stadt ihr Opfer wurde, nahm Landsberg sie als Gäste auf. Und so fällt die Aufgabe, sich seiner Vergangenheit zu stellen und ihr in der Gegenwart Raum zu geben, für beide Städte sehr verschieden aus und ist für Landsberg ungleich schwerer. Vor dem Krieg gehörte die eine Stadt Arbeitern, Holzfällern, Viehhändlern, Bauern. Landsberg war eine Garnisonsstadt und besaß eine große und berühmte Festungshaftanstalt.
1944 wurde Landsberg als Standort für drei riesige, unterirdisch angelegte Rüstungsfabriken ausgewählt, in denen das erste Düsenflugzeug der Welt hergestellt werden sollte, um die sich abzeichnende Niederlage der Deutschen doch noch in einen Sieg zu wenden. Der geheime Codename für diese Operation lautete «Ringeltaube». Die Mauern der Fabriken sollten fünf Meter dick werden. Jede der Hallen sollte fünf Ebenen haben.
Ungefähr 30 000 Juden, die meisten aus Ost- oder Südeuropa, wurden in elf Lagern nahe der Stadt (benannt nach dem Dorf «Kaufering») gefangengehalten. Und sie waren Zwangsarbeiter, Sklaven, die diese Fabriken aufbauen sollten. Am Anfang waren sie doppelt so viele wie die Einwohner der Stadt. In der zweiten Jahreshälfte
 1944 und den ersten vier Monaten des Jahres 1945 starben Tausende

von ihnen an Erschöpfung, Krankheit und Hunger. Am Ende, als sich die amerikanische Armee der Stadt näherte, wurden Hunderte der kranken Überlebenden abgeschlachtet und Tausende in einem Todesmarsch in Richtung Alpen getrieben. Auf diese Weise, so hoffte die SS, würde die Existenz der Lager in Vergessenheit geraten.
Ich sehe, wie wir, Du und ich, durch den unscheinbaren Wald auf die Überreste des Lagers Kaufering VII zugehen. In diesem Lager lebten und starben um die 2000 Menschen. Wir standen mitten in einer Handlung. Die Auslöschung war immer noch gegenwärtig. Die Tat war noch nicht vollbracht, und das Schweigen war immer noch ihr Komplize.
Das Leben in der Stadt Landsberg, gerade zwei Kilometer entfernt, konnte diese Stille nicht brechen. Es war, als wenn der Verkehrslärm, das Geräusch des Wassers am Wehr, die Rufe der Kinder, die Fußball spielten, die Gespräche in der Bäckerei, das Lachen der Liebenden im Gras – es war, als ob all diese unschuldigen Alltagsgeräusche in einen Brunnen hinabgeworfen würden, aber nie auf dem Wasser aufklatschten – der Brunnen hatte keinen Grund.
In den Archiven der Stadt scheint eine ähnliche Distanz zwischen bestimmte Photographien zu treten. Zwischen den fürsorglichen Bürgern, die ihre Häuser liebten und Gärten pflegten, einander zuprosteten und die Zukunft ihrer Kinder planten, und den namenlosen Kolonnen, die morgens aus den Wäldern zum Bauplatz marschierten und spätabends wieder zurück – zwischen beiden siedelte ein Reich der Finsternis.
Du und ich, wir schritten auf dem kargen Boden des Unterholzes weiter auf die Hütten mit den eingesunkenen Dächern zu. Hundert Frauen pro Baracke. Zwischen den eingesunkenen Mauern und im Umkreis der Bäume lag die gleiche Last an Schweigen. Nicht das Schweigen der Toten, sondern das der im Stich Gelassenen, der Aufgegebenen. In dem Gestrüpp schien alles Leben vor Schweigen zu bersten.
Plötzlich stießen wir auf etwas, das sich dem Schweigen und der Verwahrlosung, die es umschlossen, widersetzte. Es war kaum zu erkennen. Man mußte zweimal hinschauen, um sicher zu sein, das es dort nicht etwa zufällig, sondern absichtlich stand. Einige Eisenbahnschwellen hatte man zersägt und wieder zusammengefügt, sie lehnten aneinander. In dieser «Assemblage», am Boden gekauert

und zum Himmel gereckt, schien etwas wie ein Frauenprofil sichtbar zu werden. War es wirklich da? Mit Sicherheit war da ein Andenken, und wir konnten ihm nachspüren.
Dieses Aufmerksamwerden konnte das Schweigen nicht brechen. Aber es schien verändert. Doch durch keine Stimme und kein Geräusch. Was das Schweigen am Ausgang der Hütte, wo man die Holzbohlen aufgestellt hatte, so veränderte, war unausgesprochen und doch beredt, so lautlos, wie ein Gebet aufgesagt werden mag.
Nella, wie und wo soll dieses Gebet seinen Ort finden? Bitte schreib mir.

Antworte mir, schreibst Du, John, in Deinem Brief aus Guernica, antworte mir, wenn Du kannst.
Ich will es versuchen.
Erinnerst Du Dich an jenen Sommer, John, als wir wegen Recherchen für unser Stück über Goya nach Madrid fuhren? In einem Saal unweit des Prado war das Bild «Guernica» ausgestellt, hinter einer dicken, kugelsicheren Glasscheibe, was uns sehr verwunderte.
Wenn man bedenkt, daß dieses Bild von Picasso unter dem Schock eines Ereignisses gemalt wurde, das ein halbes Jahrhundert zurückliegt, und zudem an das denkt, was allein durch die Existenz dieses Bildes vor dem Vergessenwerden bewahrt wird, möchte man fragen: Was soll diese kugelsichere Glasscheibe beschützen? Den Marktwert des Meisterwerks oder etwas anderes, etwas viel Unantastbareres und Vergänglicheres, nämlich die

menschliche Erinnerung, die ständig Angriffen ausgesetzt ist, mit denen verglichen die Kugeln, im gegenständlichen Sinn, noch das geringere Übel wären?
Schließlich kann man, um sich zu erinnern, auch einen Knoten ins Taschentuch machen, Kieselsteine hinter sich auf den Weg streuen oder eine Tür mit einem Kreidekreuz markieren. Aus diesen unbedeutenden, unendlich oft variierten Gesten sind die Memorials hervorgegangen. Im Russischen nennt man «мемориал» jedes Zeichen, das Menschen machen, um jemanden oder etwas vor dem Vergessen zu bewahren. Ich möchte von den Spuren der Erinnerung sprechen, John, winzigen oder gewaltigen Spuren, die man in den Städten noch finden kann, und auch über das Schicksal dieser Spuren.
Beginnen wir im besetzten Paris, mit einem Vorfall, der sich an einem Herbsttag des Jahres 1940, das heißt einige Monate nach dem Einmarsch der Deutschen, tatsächlich ereignet hat. An jenem Herbsttag tauchte entlang des Boulevard Saint-Germain an den Hauswänden überall die Bekanntmachung auf:
Erschossen: JACQUES BONSERGENT.
Weiter war darauf zu lesen, der junge Ingenieur Jacques Bonsergent sei, weil er ein Mitglied der deutschen Wehrmacht geschlagen habe, vor vierzehn Tagen zum Tode verurteilt worden. Er war am Morgen desselben Tages hingerichtet worden. Am nächsten Tag waren die Bekanntmachungen auf dem Boulevard Saint-Germain bekränzt von Blumen: echten oder künstlichen Blumen, Stiefmütterchen, Margeriten.
Doch zurück nach Landsberg.
Das Gefängnis hier wirkt sehr imposant, denn es ist eine Festung. Adolf Hitler war dort inhaftiert, und dieser Aufenthalt im Jahre 1924 muß fruchtbar gewesen sein, denn er schrieb hier *Mein Kampf*. Ein Brevier des Rassismus, das wohl für alle Zukunft der Klassiker seiner Art bleiben wird.
Wir sehen ihn auf einem Foto, den zukünftigen Reichskanzler, einen bleichen Enthusiasten, wie ihn Ernst Jünger seinerzeit beschrieb. Er verläßt das Gefängnis. Ein Auto wird ihn abholen und der Erfüllung seiner gigantischen Aufgabe näherbringen, die er soeben in großen Zügen entworfen hat. *Mein Kampf*. Der Keim zum blutigen Mythos des Tausendjährigen Reiches ist gelegt. Der bestialische Blut- und Bodenkult. Die Religion der Herrenrasse oder vielmehr

die Voraussetzungen dazu (Adolf Hitler wird seine Offenbarungen noch ausfeilen müssen) kommen frisch aus dem Landsberger Gefängnis.
In der Nähe von Kiew. Ich traf Viktor Platonowitsch Nekrassow 1972, als er noch in Kiew lebte. Der erste Ort, wohin er mich mitnahm, war Babi Jar. In der Geschichte der «Endlösung» gilt Babi Jar als das größte unter all den «Massakern», die die Einsatzgruppen der SS nicht hinter Lagerstacheldraht, sondern im freien Gelände anrichteten.
Am 29. und 30. September 1941 wurden dort annähernd 34 000 Personen zusammengetrieben und getötet. Kinder, Greise, Frauen und Männer, fast alle Juden. Ebenso gründlich wie bei der Aktion selbst verfuhren die Sondergruppen bei der «Verwischung der Spuren», der sogenannten «Aktion 1005a». Ein Mitglied dieser Sondergruppe, der Architekt Paul Blobel, der 1951 in Landsberg hingerichtet wurde, beschreibt selbst, wie man bei der Beseitigung der Leichengruben von Babi Jar vorging:
«...Bei meinem Besuch im August 1944 besichtigte ich selbst die Verbrennung von Leichen in einem Massengrab bei KIEW. Dieses Grab war ungefaehr 55 m lang, 3 m breit und 2 1/2 m tief. Nachdem die Decke abgehoben worden war, wurden die Leichen mit Brennstoff bedeckt und angezuendet. Es dauerte ungefaehr zwei Tage bis das Grab niedergebrannt war. Ich selbst habe gesehen, dass das Grab bis zum Boden durchgeglueht war. Danach wurde das Grab zugeworfen und alle Spuren waren damit so gut wie verwischt.»
Dreißig Jahre später stehen wir mit Viktor Platonowitsch an diesem Ort, genannt Babi Jar. Er sagt mir, daß es für ihn, den ehemaligen Stalingradkämpfer, fast leichter gewesen sei, mit der Waffe in der Hand siegreich die Schlacht zu bestehen, als die Mauer der Bürokratie der Stadtoberen von Kiew zu durchbrechen, und dabei schwankt er zwischen Humor und Zorn. Noch Ende der fünfziger Jahre, erzählt er mir, habe nichts, auch nicht das geringste Zeichen auf den Ort von Babi Jar hingewiesen. Statt dessen beschließt die Stadtverwaltung, dort ein Stadion und einen Vergnügungspark zu errichten. Unterstützt von seinen Freunden in Kiew und Moskau, veröffentlicht Viktor Platonowitsch in der «Literaturnaja Gazeta» einen Artikel, der die Öffentlichkeit in Aufruhr versetzt und bewirkt, daß man das Projekt aufgibt. Doch wieder vergehen Jahre. Heimlich beseitigt

man den jüdischen Friedhof, der in der Nähe der Schlucht lag und den es lange vor den Massakern gegeben hatte; man durchkämmt das Erdreich und setzt die Schlucht unter Wasser. Starke Regenfälle führen zu einem Dammbruch, eine dicke Schlammschicht ergießt sich über ein neues Viertel, das gerade im Bau ist, und rund hundert Menschen finden in Folge dieses Ereignisses den Tod.
Heute ist Viktor Platonowitsch Nekrassow nicht mehr unter den Lebenden. Heute weiß man nicht mehr, wo genau sich die Schlucht mit Namen Babi Jar befindet, so gut hat man die Spuren verwischt. Eine große, stark befahrene Straße führt dort vorbei. Es gibt neue Wohnviertel. Und es gibt schließlich auch ein Denkmal, das weit entfernt von dem mutmaßlichen Ort von Babi Jar steht.
Zwei Kilometer vor Landsberg. Ein Wald im Frühling. Ich habe die Fotos vor mir, John, die Fotos, die ich während unseres Besuches bei Martin Paulus gemacht habe. Als er uns dorthin mitnahm, erwartete uns eine Überraschung. Er sagte uns vorher nichts, sondern nahm uns einfach mit. Ein Spaziergang auf dem Land. Von Ferne erblickt man eine Lichtung, vier längliche, grasbedeckte Hügel. Am Eingang einige umgestürzte Pfähle, im Stacheldraht verfangen. Die weißen Blüten der wilden Möhren. Ein Fichtenwald. Ich betrachte die Fotos. Die Stille dieses Ortes holt mich ein und läßt meine Feder stocken.
Die länglichen, grasbewachsenen Gebäude sind die Spuren dessen, was heute noch von einem jener Lager übrig ist, von denen Du sprichst, John. Dieser Ort ist lebendige Erinnerung – mit seinem Himmel, seiner Stille, seinen Fichten, seinen wilden Möhren, die Wache halten – all dem, was kein Archiv, kein Museum wiedergeben kann. Das denke ich heute, aber damals, erinnere ich mich, war ich ergriffen von dieser Stille und einer stummen Dankbarkeit gegenüber Martin, der diesen Ort mit uns teilen wollte.
Als wir uns den Gebäuden näherten, entdeckten wir eine seltsame Form, die im ersten Augenblick an ein kniendes Tier denken ließ, das an einer Quelle trinkt. Das Ganze besteht aus alten Balken, die ebenso verrottet sind wie der Stacheldraht am Eingang der Lichtung verrostet.
Während wir zurückgingen, erzählte uns Martin, ähnlich wie Viktor Platonowitsch in Babi Jar, von den Hindernissen, die seine Freunde und er überwinden mußten, bis dieses Denkmal, eine Gemeinschaftsarbeit, endlich dort stehen konnte.

Dein Brief aus Guernica, John. Aus jenem Guernica, das durch das Wunder der Erinnerung zu einem Begriff geworden ist, der sich als dauerhafter erweist als Stein, Stahl oder kugelsicheres Glas.
Die getrockneten und frischen Blumen, mit denen anonyme Pariser an jenem Herbsttag des Jahres 1940 die Bekanntmachungen entlang des Boulevard Saint-Germain bekränzen. Die ersten Schwalben der Résistance.
Viktor Platonowitsch Nekrassow, der bei den damaligen Machthabern in Kiew Sturm läuft gegen eine Mauer der Scheinheiligkeit, um die Erinnerung vor den Augen und in den Herzen der Lebenden zu bewahren.
Die Gruppe von Freunden, die an die Öffentlichkeit geht und die Unterstützung erhält, an jenem Ort bei Landsberg ein Mahnmal zu errichten.
In jeder neuen Epoche muß man neu damit beginnen: Widerstand zu leisten, die Erinnerung lebendig zu erhalten, die Mauern der Manipulation zu durchbrechen. Ja, John, alles muß immer aufs neue begonnen werden. Wenn ich an etwas fest glaube, dann daran.

Hans Jürgen Balmes übersetzte John Berger aus dem Englischen,
Tatjana Michaelis übertrug Nella Bielski aus dem Französischen.
Die Fotos zeigen das 1988 von Martin Paulus und Thomas Riemerschmid gestaltete Denkmal auf dem Gelände des ehemaligen KZ-Lagers «Kaufering VII».

BILDER AUS EINER DEUTSCHEN KLEINSTADT

«Wer einen anderen Glauben als den römischen im Herzen hat,
muß es verschweigen.»
Michel de Montaigne, 1580 über Landsberg

Die zwanziger Jahre

Landsberg am Lech, eine bayerische Kleinstadt in landschaftlich schöner Umgebung, bäuerlich geprägt und ohne nennenswerte Industrieansiedlungen, ist ein Garnisonssitz. Von den etwa 10 000 Einwohnern bekennen sich über 80 Prozent zur katholischen, etwa 10 Prozent zur protestantischen Konfession.

70 Junger Mann mit Schäferhund

Alte Landsbergerin am Herd

Am Bayertor. Nach dem Münchener Putsch von 1923 sitzt Hitler als Festungshäftling im Landsberger Gefängnis ein, aus dem er auf Bewährung am 20. 12. 1924 vorzeitig entlassen wird.

Späte zwanziger Jahre.
Zeppelin über dem Vorderen Anger

 1928. Baden am Lech

 Landsberger «Revuegirls»

«Absolvia 1925» der Oberrealschule

1931. Der Ozeanflieger Hermann Köhl
hält einen Vortrag beim Roten Kreuz.

 Bei Landsberg. Herbstjagd in der Garnisonsstadt

«Winterhilfswerk» in den späten zwanziger Jahren

 Sommer 1933 am Lechwehr

Die Stadt und der Nationalsozialismus

Rathaus am Hauptplatz. Ergebnisse der Reichstagswahl 1933: Stimmen für die NSDAP in Landsberg 44,8 %, in Bayern 43,1 %, im Deutschen Reich 43,9 %.

84 Hitlerjugend in der Altstadt

86 Kreisparteitag der NSDAP.

Hauptplatz mit Mariensäule. Gauleiter Wagner spricht.

«Volkswohnungsbau» in Landsberg

 Der 1. Bürgermeister Linn spricht.

Richtfest in der «Hindenburg-Siedlung»

...vor dem neuen Heim in der «Hindenburg-Siedlung»

Automobilisten in den dreißiger Jahren.
Der DDAC (Der Deutsche Automobil Club)
veranstaltet eine «Verkehrschilderschau».

Frühe vierziger Jahre, Zederbräu Casino.
Einweisung ins elektrische Kochen

94 Herr und Hund vor Automobil

8. 10. 1934. Der Ehrenbürger Hitler besucht die Festungshaftanstalt.
Die Zelle, in der er von 1923 bis 1924 einsaß, ist «nationale Weihestätte».

(S. 96:) September 1937. Der Hauptplatz als Ziel des «Bekenntnismarsches der deutschen Jugend». Mariensäule und -brunnen sind verkleidet.
(S. 97:) Späte dreißiger Jahre, vor Kriegsbeginn...

 …der Hauptplatz ist Ort der Kreisparteitage der NSDAP

Frühe vierziger Jahre.
Heimaturlaub im Sommer…

102 Trachtenfestzug während eines Kreisparteitages der NSDAP

Ende April 1945.
«Panzersperrenbau ist sinnlos. Weigert Euch!»

Max Westheimer

Herta Westheimer

Lothar Westheimer

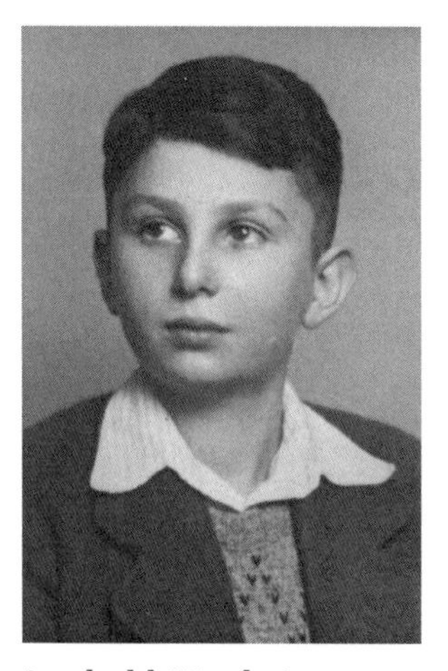

Berthold Westheimer

Minna Fischel

Sitta Schleßinger

 Jüdische Bürger Landsbergs, die ins Exil gehen müssen.

Theodor Schleßinger

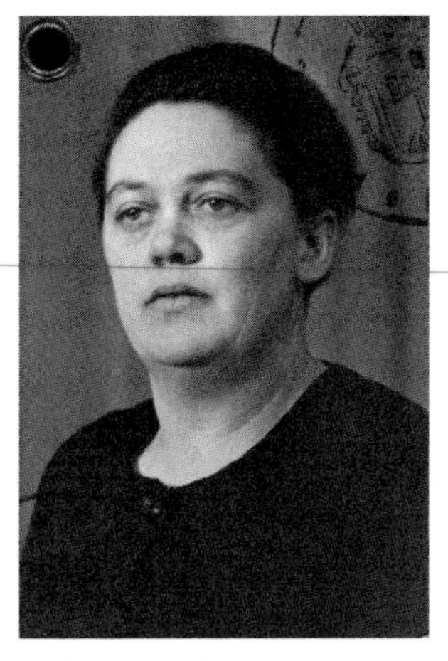

Sofie Schleßinger

Louis Willstätter

Luiza Willstätter

Max Weimann

Babette Weimann

 April 1945. Kolonnen von KZ-Häftlingen …

… werden mitten durch die Stadt geführt.

...Häftlinge, Bewacher, Passanten.
Stadtauswärts auf der Neuen Bergstraße.

Das geheime Rüstungsprojekt

Unter dem Tarnnamen «Ringeltaube» betreibt die Organisation Todt ab Sommer 1944 ein gigantisches halbunterirdisches Bauvorhaben.

1944/45. Häftlinge mit weißem «Zielkreuz» bei der Zwangsarbeit.
Die «kriegswichtige» Flugzeugproduktion wird dezentralisiert.
Geologische Gegebenheiten prädestinieren die Region um Landsberg
für die Anlage von Rüstungsbunkern.

In der Umgebung der Stadt entstehen
11 Außenlager des Konzentrationslagers Dachau.

Herbst 1944. Der Bunker, der als «Weingut II» bezeichnet wird. Etwa 30 000 Häftlinge sind in den Lagern um Landsberg und arbeiten auf den Großbaustellen.

 In den letzten Kriegsmonaten gehen Überlegungen zur regionalen Infrastruktur …

... von 90 000 Rüstungsarbeitern aus.

Herbst 1944. Stahlarmierungen für das
Bunkergewölbe. Einige der beteiligten privaten
Firmen sind noch heute in München ansässig.

April 1945. Auf den Baustellen und in den dazugehörenden Außenlagern bei Landsberg werden etwa 15 000 Menschen systematisch durch Arbeit vernichtet.

 Die Eisenbahn-Zufahrt zum Bunker «Weingut II»

Die Konzentrationslager

Nach der Befreiung. Eines von 11 Außenlagern Dachaus bei Landsberg: «Kaufering IV», überlebende Häftlinge in einer Baracke des Lagers

Ende April 1945. Das Lager «Kaufering IV» nach der Befreiung durch Einheiten der 12th Armored Division der 7th US-Army.

...Beim Rückzug vor den Amerikanern zündet die SS
die Krankenbaracken des Lagers an, in denen die
schwachen und nicht mehr gehfähigen Menschen verbrennen.

DAS BETRETEN DES
KRANKENLAGERS
IST STRENGSTENS
VERBOTEN!

 Nur in einem der 11 Außenlager, «Kaufering IV», werden von den Fotografen des

US Signal Corps die Szenen in den ersten Tagen nach der Befreiung dokumentiert.

Der Lagerführer von «Kaufering IV», Eichelsdörfer, wird von einem Kriegsberichterstatter inmitten der zusammengetragenen Toten des Lagers fotografiert.

Die private Aufnahme eines GI
zeigt auch die Zuschauer dieser Szene.

Deutsche aus der Umgebung des Lagers werden von den Amerikanern an den Ort der Verbrechen geholt, um die Toten zu begraben.
«You may say that you're not responsible, but you supported the regime, that committed such crimes.» Lieutenant Colonel E. F. Seiller in «Kaufering IV» nach *New York Times*, 30.4.1945

207728

Wie viele andere stirbt dieser Häftling kurz nach
der Befreiung. Der völlig ausgezehrte Körper übersteht
die ungewohnte Nahrungsaufnahme nicht mehr.
(S. 131:) Ein Überlebender vor dem Lager

Die Geretteten winken in die Kamera der Befreier.

April / Mai 1945. Eines der zahlreichen von den Amerikanern entdeckten Massengräber. Deutsche Kriegsgefangene exhumieren die Ermordeten in der Nähe von «Kaufering IV».

Das Kriegsverbrechergefängnis

Aus der Festungshaftanstalt Landsberg wird das War Criminal Prison No 1 der amerikanischen Besatzungszone.

Die «Hitler-Zelle» nach der Befreiung. Ein GI in der ehemaligen nationalsozialistischen «Weihestätte»

Dezember 1945. Ein Kriegsverbrecher
wird zur Hinrichtung geführt...

…Im Hof des War Criminal Prison No 1 werden
von 1945 bis 1951 über 250 Todesurteile vollstreckt.

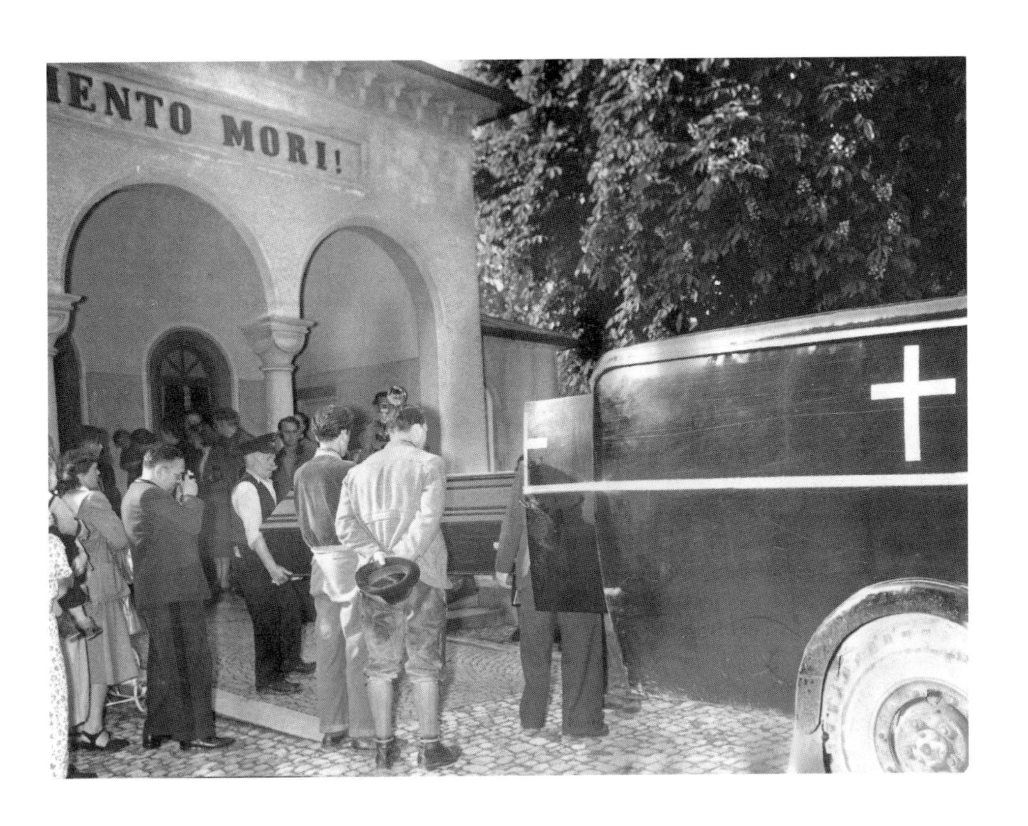

Juni 1951. Überführung eines hingerichteten
Kriegsverbrechers von der Aussegnungshalle
des Landsberger Friedhofs in seine Heimatgemeinde

Die Haftentlassungen in Landsberg. Angehörige warten im Morgengrauen vor dem Kriegsverbrechergefängnis. Im Januar 1951 verkündet Hochkommissar John McCloy einen Gnadenerlaß für die Verurteilten der Nürnberger Folge- und der Dachauer Prozesse.

24. 12. 1949. Haftentlassungen am Heiligen Abend

Am 16. 10. 1950 wird Ernst von Weizsäcker,
Ex-Staatssekretär im Auswärtigen Amt (hier mit Gattin),
aus dem War Criminal Prison No 1 entlassen.

Ein entlassener Kriegsverbrecher
am Landsberger Bahnhofsschalter

15. 12. 1951. Angehörige von Alfried Krupp von Bohlen
und Halbach warten auf seine Entlassung…

... Alfried (links) wird von seinem
Bruder Berthold (rechts) begrüßt.

«Wir wollen unsern Krupp sehen!»
Dezember 1951 vor dem «Hotel Goggl».

Der Hauptplatz in der Nacht vor der Entlassung Krupps

148 Ein GI blickt aus der «Hitler-Zelle»

Das Displaced Persons Camp

Eingang zur ehemaligen Saarburg-Kaserne, in der die Amerikaner ein Camp für die Überlebenden der Konzentrationslager einrichten. Über 23 000 Menschen durchlaufen diese Durchgangsstation auf dem Weg in die Freiheit.

 Ende April 1945. Überlebende KZ-Häftlinge …

...erhalten von den Befreiern neue Kleidung.

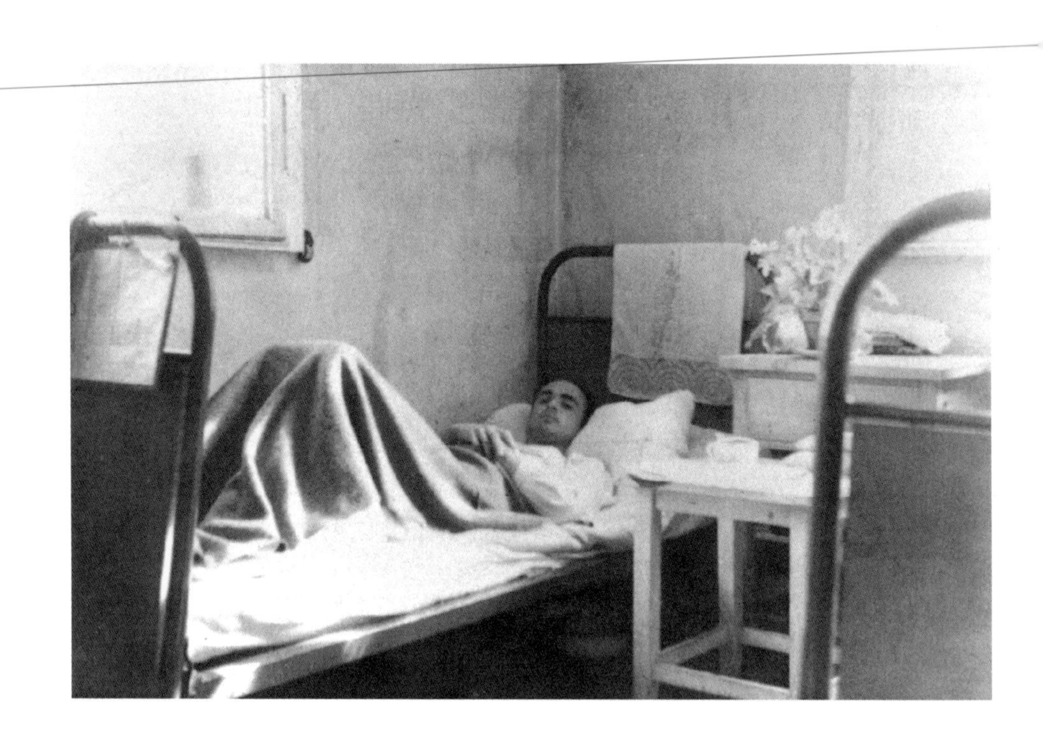

DP-Hospital St. Ottilien bei Landsberg.
Viele Überlebende waren krank
und im Zustand völliger Entkräftung.

Die Amerikaner veranlassen
ihre medizinische Versorgung.

Der Speisesaal. Landsberg ist zeitweise das größte jüdische DP-Camp in der amerikanischen Besatzungszone. 4000 bis 5000 Personen leben in der ehemaligen Kaserne und warten darauf, nach Palästina oder in die USA emigrieren zu können.

Als nach dem Harrison-Report (August 1945) publik wird, daß in den der US-Armee unterstellten DP-Camps Zustände wie in «Internierungslagern» herrschen, richtet sich das Interesse der amerikanischen Öffentlichkeit auf die Lebensbedingungen der DPs.

Herbst 1945. Drei-Sterne-General Bedell Smith,
Stabschef der US-Truppen in Europa,
inspiziert das Landsberger Camp.

Späte vierziger Jahre. Unter schwierigsten Bedingungen
organisieren die Überlebenden und jüdische Hilfsorganisationen ein Schul- und Ausbildungssystem...

...Kinder beim Torastudium.
Besonders wichtig sind die religiöse Erziehung
und Sprachkurse in Hebräisch und Englisch.

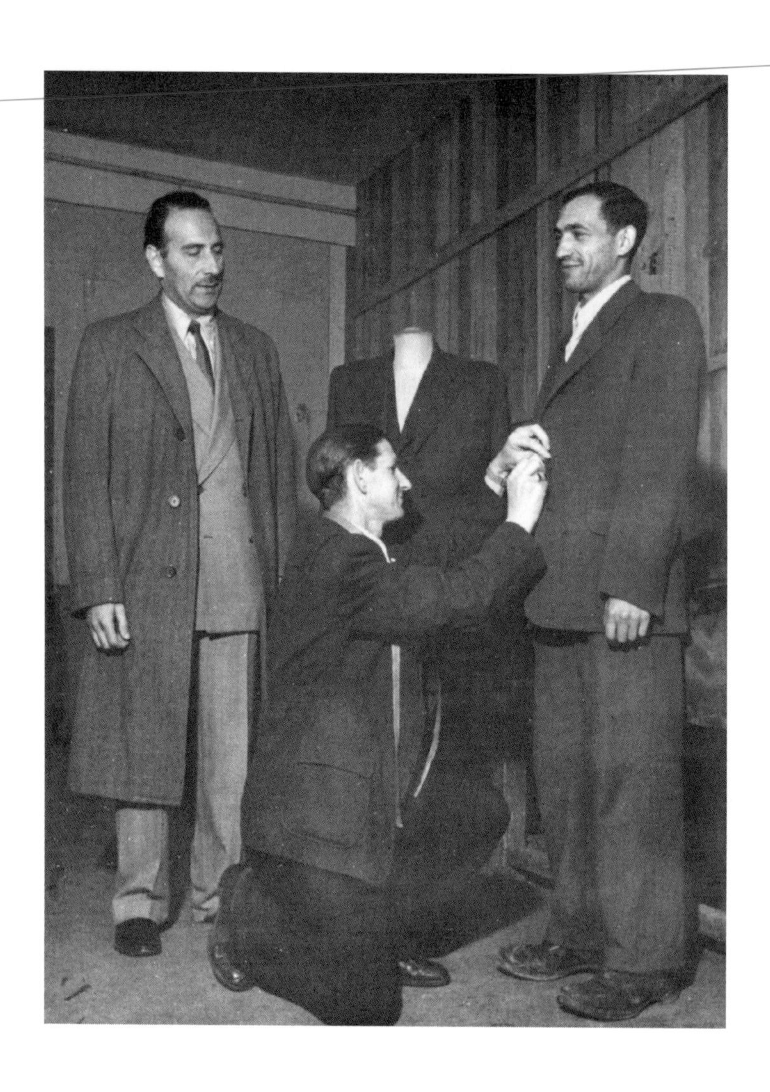

...wie die Schneiderei, mit eigener Kleiderkammer.

In Kibbuzim bereitet man sich auf die Zukunft in
Palästina vor. Landwirtschaftliche Ausbildung auf dem Gelände
eines ehemaligen Konzentrationslagers

Wiedergewonnene Mobilität.
In der Motorradwerkstatt

 Reparatur einer Schreibmaschine

Das dichte Nebeneinander von DPs und Deutschen in der Kleinstadt führt zu Spannungen, die auch die amerikanische Militärregierung vor erhebliche Probleme stellen.

Da im DP-Camp extreme Platznot herrscht, werden Häuser in der Stadt requiriert, um dort mehrere hundert Menschen unterzubringen. Deutsche räumen ihre Wohnungen.

Sommer 1947. Unter den jüdischen Überlebenden
des Holocaust in den DP-Camps sind, laut Statistik,
die Geburtenraten weltweit am höchsten.

Mütter mit ihren Babys, die noch in den
Konzentrationslagern auf die Welt kamen.

1946 in St. Ottilien bei Landsberg.
Eine Mutter aus Ungarn mit Kind.

Späte vierziger Jahre.

 Kinder aus Osteuropa im DP-Camp

 Februar/März 1946. Das erste Purimfest nach der Befreiung.

Traditionell wird am Purim die Errettung aus Gefahr und Verfolgung gefeiert.

Mai 1945. Ein überlebender französischer KZ-Insasse
zeigt einem Fotografen die eintätowierte Häftlingsnummer.

1946. «Purim-Karneval in Landsberg».
«Wir wußten, daß Hitler tot war, aber wir konnten nicht sehen, wo er war.
Hier sahen wir, daß er hingerichtet und begraben wurde» (Frania Blum).

28. 4. 1946. Die angespannte Lage zwischen DPs und Deutschen eskaliert. Es kommt zu Auseinandersetzungen zwischen der deutschen Bevölkerung und den DPs. 20 Juden werden von den amerikanischen Behörden verhaftet...

...Beim DP-Camp wird für ihre Freilassung demonstriert.
Auf deutscher Seite spricht man von einer «jüdischen Revolte».

178 Sport. Bei einem Auswärtsspiel in München…

...die Fußballmannschaft des DP-Camps in Landsberg beim Training.

 Iwan Dilewski, der gefeierte Boxchampion des DP-Camps

Die fünfziger Jahre

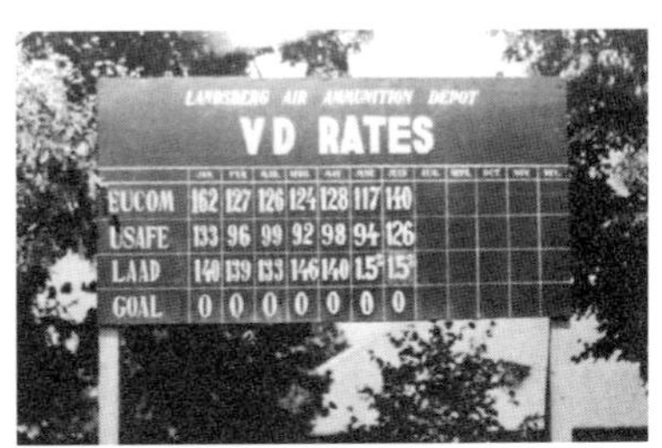

(Links:) Fasching 1951. (Rechts:) Im Landsberg Air Ammunition Depot (LAAD). Statistik der Geschlechtskrankheiten (Venereal Disease Rates) unter den amerikanischen Besatzern.

1946. Die Amerikaner in der Stadt. Max Frisch, Mai 1946: «In Landsberg ist Alarm: Unser Jeep muß stoppen, wir werden geprüft, Wachen mit Helm und Pistole, Gurten mit glänzenden Patronen, es wimmelt von verwahrlosten Menschen, die mit den Händen fuchteln; ihre Sprache verstehe ich nicht, und auch am Ausgang des lieblichen Städtleins steht ein Panzerwagen, Kanone ohne Mündungskappe.»

 1946. Erste «einheimische» Baseballmannschaft

1950. Einweihung der Turnhalle

1951. Kirchliche Würdenträger
im Kreuzgang des Heilig-Geist-Spitals

1946. Landsberger Kinder bei der Schulspeisung

 1950. Das «Hohe Kreuz» am Lechhochufer über der Stadt...

… wird wieder aufgestellt.

 Besichtigung eines der zahlreichen jüdischen Friedhöfe …

… die bei den Massengräbern in der Nähe der KZ-Lager angelegt werden.

1946. Demontage (am Bunker «Weingut II»)
und Demilitarisierung sind nur von kurzer Dauer.

3. 9. 1958. Die Bundeswehr hat den Bunker bereits übernommen. Verteidigungsminister Strauß und Generalinspekteur Kammhuber (3. und 4. von links) besichtigen das NS-Rüstungsprojekt.

1953. «Mein erstes Auto». Im Hintergrund
ein KZ-Wachturm. «Heimatvertriebene» aus...

… den «deutschen Ostgebieten» wohnen auf
dem Gelände des ehemaligen KZ «Kaufering VII».

«Community Christmas 1955». Der German-American Wives Club packt in den USA Pakete für Landsberger Familien.

1950. Die Besatzer bringen den American way of life.
Fraternisieren in den Nachkriegsjahren

 Erinnerungsfoto vor einer Litfaßsäule

Im neuen Eisstadion

Fasching in Landsberg: Flucht aus
dem Alltag in exotische Fernen. Indianer ...

... Araber und Kamel.

6. 7. 1954. «Wir sind wieder wer!» Die deutsche Weltmeisterschaftself wird begeistert empfangen. Auch am Bahnhof Kaufering macht der Zug aus Bern fünf Minuten Station. Hunderte von Landsbergern fahren die 3 Kilometer mit einem Sonderzug nach Kaufering, um den «Helden von Bern» zuzujubeln.

Kaufe

7. 1. 1951. Demonstration auf dem Hauptplatz gegen
die «Landsberger Todesurteile». 3000 Personen, einheimische
und angereiste, protestieren dagegen, daß die Amerikaner …

... nicht alle Todesurteile gegen deutsche Kriegsverbrecher in Haftstrafen umwandeln. Einer der Redner ist der Bundestagsabgeordnete der Bayernpartei, Dr. Seelos.

206. Sommer 1950 auf dem Hauptplatz …

... Markttag in Landsberg

Frühe fünfziger Jahre. Wiederaufbau der von den Deutschen kurz vor der Kapitulation gesprengten Lechbrücke

Am Bahnhof von Landsberg. Osteuropäische Displaced Persons werden «repatriiert» und treten eine Fahrt in eine ungewisse Zukunft an.

Gerhard Zelger und Martin Paulus

Die Stadt und die Bilder

«Es kann geschehen, überall.» *Primo Levi*

«Aufnahmeort»: Landsberg

Hannah Arendt bemerkte 1950 bei ihrem Besuch in Deutschland, daß sich die Bewohner der zerstörten Großstädte Ansichtskarten mit Stadtansichten schrieben, die es gar nicht mehr gab. In Landsberg am Lech wäre diese Verwendung von Vorkriegswaren nicht weiter aufgefallen: auf die oberbayerische Kleinstadt war keine Bombe gefallen.

Ins kollektive Gedächtnis der Landsberger haben sich Not und Entbehrungen der Nachkriegszeit tiefer eingegraben als die Sensationen und Katastrophen der NS-Jahre. Alte Schauplätze wurden in dieser Stadt immer wieder neu belebt. Auf den Arealen der ehemaligen Konzentrationslager lebten ostdeutsche Flüchtlinge und Heimatvertriebene, die alte Kaserne in der Stadt wurde zum Displaced Persons Camp für jüdische Überlebende umfunktioniert, und das Gefängnis, eine ehemalige Kultstätte der Nazis, beherbergte mehr oder minder prominente Kriegsverbrecher. Die Landsberger haben das als ungerecht empfunden, als ob sie und ihre Stadt einen besonderen Teil der «Kollektivschuld» der Deutschen abtragen sollten.

Der Nationalsozialismus wurde nach 1945 in der Garnisonsstadt als etwas von außen Eingedrungenes begriffen. Die Kontinuität des Außergewöhnlichen und Fremden dauerte an, und das in einer Zeit, in der man am liebsten nicht an die vergangenen zwölf Jahre erinnert werden wollte. Die Anwesenheit der vielen Fremden in der Stadt, ihre tagtägliche Leibhaftigkeit störte das Bestreben der Bewohner, Nachkriegsnormalität einkehren zu lassen. Es war ein Leben zwischen Verdrängung und ständiger Konfrontation. Man war nicht nur besetzt wie andere Städte auch, man mußte auch noch mit den Tätern, den lebenden und toten Opfern in der Kleinstadt zusammenleben. Die sogenannte «Stunde Null» war für Landsberg vertagt worden.

Während all dieser Jahre wurde fotografiert – von Landsbergern, Deutschen und den Fremden. Waren es vor dem Kriegsende Propagandafotos, heimliche Aufnahmen und Privatfotos von Landsbergern und anderen Deutschen, so sind es danach die amerikanischen Besatzer, deren Signal-Corps-Soldaten fotografisch Zeugnis (*testimony*) über die befreiten Konzentrationslager ablegten, die «Hitler-Zelle» und die Hinrichtungen der Kriegsverbrecher fotografierten – oder einfach nur *snap-shots* von sich und der alten Stadt am Lech machten.

Bevor sich dann die deutschen Pressefotografen den freigelassenen Kriegsverbrechern widmeten, entstanden im DP-Camp, einer Stadt in der Stadt, Fotos aller Genres: private Bilder, dokumentarische Aufnahmen der amerikanischen Verwalter, Fotos, die die Spendenfreudigkeit in den Vereinigten Staaten unterstützen oder die «Lager-Cajtung» illustrieren sollten.

Die Deutschen machten kaum Fotos in den ersten Nachkriegsjahren. Kurz nach dem Kriegsende waren viele Fotoapparate beschlagnahmt worden, «fotogene» Ereignisse und die technischen Voraussetzungen, sie im Bild festzuhalten, waren sehr selten. Erst nach der Währungsreform, als man aus dem Gröbsten heraus war, wurde wieder belichtet und entwickelt.

Aus der Heterogenität und dem Disparaten der hier versammelten Fotografien vom «Aufnahmeort»: Landsberg entstehen Spannungen und Irritationen, die zu tun haben mit der Vielzahl der Bilder und der Vielzahl ihrer Geschichten, den vielen verschiedenen Fotografen und ihrer unterschiedlichen Herkunft und ihren diversen, auch kontroversen Blickwinkeln. In unserer Zusammenstellung zeichnet sich die neuere Stadtgeschichte auch in ihren verschütteten Segmenten ab, und zugleich der fremde Blick, mit dem diese Geschehnisse betrachtet worden sind.

Für einen Landsberger wie mich haben diese Bilder etwas Gespenstisches, da mein Leben in den gleichen Stadtkulissen stattfindet, die auf den Fotografien abgebildet sind. Seit ich diese Bilder kenne, betrachte ich meine Stadt mit einem beklemmenden Gefühl der Befangenheit. Von der Flut der bildhaften Assoziationen, die mit eidetischer Eindringlichkeit selbst die harmlosesten Straßen und Plätze besetzen, gerät man fast in einen Taumel. Wie auf einer Infrarotaufnahme die Wärmespuren von Menschen in einer Umgebung sichtbar gemacht werden können, in der sie selbst gar nicht mehr sind, so haben sich mir die Fotografien, mit all den Menschen, die sie zeigen, eingeprägt, und diese Menschen bevölkern nun für mich schemenhaft die Straßen und Plätze dieser Stadt.

In unserer Sammlung, aus der die in diesem Buch gezeigten Motive stammen, befinden sich über 800 Fotos aus rund 50 weit verstreuten Archiven und Privatsammlungen. Daß wir so viel Material finden würden, haben wir, als wir 1990 mit der Suche begannen, nicht für möglich gehalten.

Seit Mitte der achtziger Jahre tauchten in der Landsberger Öffentlichkeit vereinzelt Fotos auf, die eines der Konzentrationslager kurz nach der Befreiung zeigten. Dies geschah im Rahmen historischer oder journalistischer Arbeiten. Über lange Jahre zuvor waren solche Bilder und der Umgang mit ihnen tabuisiert. Der Zugang zu diesem Bildmaterial blieb auf einen kleinen lokalen Kreis von Kennern und Sammlern beschränkt. Unsere Generation der um 1960 Geborenen wurde dann mit didaktischen Verfahren konfrontiert, die eine selektive Auswahl bestimmter Motive zur plakativen Illustration der NS-Greueltaten verwandten. In Aufklärungsbroschüren dienten die Fotografien einer von Stereotypen nicht freien, mehr oder minder ambitionierten «Geschichtsbewältigung». Den Bildern selbst wurde keine eigene Bedeutung belassen oder eingeräumt.

Unser Ziel war es, die Fotografien aus manch vermeintlich fürsorglicher Obhut zu befreien und sie so zu zeigen, daß ihre visuelle Kraft und Eindringlichkeit im Mittelpunkt steht.

Fotografien sind nicht reine Sachwalter des Faktischen. Und da die meisten Fotografen der hier gezeigten Aufnahmen unbekannt sind oder nicht mehr leben, kann man nur noch Vermutungen über deren Urheber anstellen, über den kulturellen Hintergrund und die fachliche Vorbildung der jeweiligen Fotografen. Im US-Army Signal Corps zum Beispiel waren, wie man weiß, einige Profis mit Hollywood-Erfahrung als Kriegsberichterstatter tätig. «Ich versuchte,

gute Bilder zu machen», meinte Jahrzehnte später der Fotograf, der bei der Befreiung des Konzentrationslagers Bergen-Belsen dabei war. «Etwas, was mich heute über mich selbst erschüttert. Ich sah durch den Sucher und versuchte, die Leichen in eine gute photographische Komposition zu bringen.» Auch über die Situationen, in denen die Fotografien entstanden sind, können wir nur mutmaßen. Sicher sind die Aufnahmen vom Todesmarsch heimlich gemacht worden, unter welchen genauen Umständen aber ist nicht bekannt, obwohl wir wissen, daß der 1974 verstorbene Landsberger Maler Johann Mutter der Fotograf war. In vielen Fällen ist unklar, ob es sich um Auftrags- oder spontane Arbeiten handelt oder welchem Zweck die Fotografien ursprünglich dienen sollten.
Ebenso zahlreich wie die Archive, in denen wir die in diesem Buch versammelten Aufnahmen fanden, sind die Versionen ein und derselben Fotos, die archiviert worden sind. Wir wurden mit Fotografien konfrontiert, die unterschiedlich zugeschnitten, mal länger, mal kürzer belichtet worden sind (was besondere Schwierigkeiten mit sich brachte, wenn kein Negativ mehr existierte). Viele Fotos waren retouchiert, verschmutzt und beschädigt. Nicht alle Bilder aber stammen aus öffentlich zugänglichen Archiven, viele führten ein «Leben» in der Fremde oder in heimischen Schubladen: verkannt, vergessen oder verheimlicht.

Unser eigentliches Archiv war unsere alltägliche Umgebung, die Menschen und die Stadt, das Archiv als Befindlichkeit, als «Saum der Zeit, die unsere Gegenwart umgibt, über sie hinausläuft und auf sie in ihrer Andersartigkeit hinweist» (Foucault): Daten, Vermutungen, Legenden, Tabus, unterschwellige Empfindlichkeiten. Manchmal war erst das Wissen um die Existenz eines Ereignisses da und dann erst das Foto, manchmal verhielt es sich auch umgekehrt. Zu manchen Ereignissen fehlen uns Fotos, was angesichts der gezeigten, langen Periode der Stadtgeschichte nicht wundert; einer Stadt, die wie wenige andere die deutsche Geschichte bündelt. Ob dies ein historischer Zufall oder eine rätselhafte Notwendigkeit war, inwieweit fremde oder heimische Akteure das Geschehen in der Stadt bestimmten, Ereignisverkettungen verursachten, läßt sich mit visuellen Aussagen vielleicht erahnen, aber nicht erklären.

Gerhard Zelger

Nur wenige Schritte entfernt von meinem Haus verlief bis vor kurzem eine Eisenbahnlinie. Davon ist heute nichts mehr zu sehen. Dort in der Nähe hatte ein Arbeiter in einer Schubraupe damit begonnen, Gras und Erde abzutragen, Land in Bauland zu verwandeln. Er machte eine Pause, aß und trank etwas. Die Erde war mittlerweile zu einem Berg aufgehäuft, und es kam eine Kiesschicht zum Vorschein, die von der dünnen Haut der Wiese befreit war.
Der Mann im Arbeitsoverall warf mir einen mißtrauischen Blick zu. Er wußte nicht, was er mit dem Staunen seines Beobachters anfangen sollte. Er wußte nicht, was ich wußte. Er sah einfach nicht, was er eben zerstört hatte: Das Fragment eines Eisenbahndammes, Teil eines gigantischen Rüstungsbauprojekts, von jüdischen KZ-Häftlingen im letzten Kriegsjahr 1944 / 45 gebaut.
Die unsichtbare Spur der Sklavenarbeit führt durch Gärten und Häuser. Unbemerkt kreuzt der Terror der Vergangenheit das Leben glücklicherer Menschen, die nach einem halben Jahrhundert nichts mehr von alledem sehen.
An manchen Stellen kann man in den Äckern die verlöschende Schotter-Zeichnung eines Bahndammes sehen. Jedes Jahr wird sie beim Pflügen ein wenig mehr mit der dunklen Erde verschliffen.

Nach der Arbeit an «*Deutschland im Jahre Null*» drehte Roberto Rossellini 1948 einen Film mit dem Titel «*Die Maschine, die die Bösen tötet*». Ein merkwürdiger Heiliger verleiht dem Fotografen in einer kleinen Stadt die wundersame Gabe, mit dem Fotoapparat das Böse vernichten zu können. Er tötet, indem er Bilder, die er von seinen Mitmenschen macht, noch einmal abfotografiert.
In seinem Wahn benützt er immer häufiger seine göttliche Macht, denn er ist von der Überzeugung besessen, daß in der ganzen Stadt niemand außer ihm das Gute will. Doch der Heilige entpuppt sich als Teufel. Die Parabel endet mit der Erkenntnis: «Tue Gutes, aber gehe dabei nicht zu weit». Die tödliche Rolle der Fotografie. Im Zeitalter der technischen Reproduzierbarkeit ist ein Bild unendlich oft verfügbar. Es ist fragwürdig, Bilder des Schmerzes und Leids diesem Kreislauf anzuvertrauen. Die Bilder des Schreckens werden mehr, und in einem gewaltsamen Akt kollektiver Selbstabstumpfung

werden Leid und Tod als Wirklichkeiten unserer Existenz geleugnet und verbannt. Bilder tatsächlicher Ereignisse werden unwirklich.
Als 1945 zum erstenmal die Bilder des Grauens der nationalsozialistischen Konzentrationslager um die Welt gingen, war wie viele andere auch die damals zwölfjährige Schriftstellerin Susan Sontag völlig verstört: «Mein Leben war verändert worden, in diesem einen Augenblick ... Als ich diese Fotos betrachtete, zerbrach etwas in mir.»
Nie wieder sollte das Böse einen solchen Sieg erringen dürfen. Seit damals sind diese Fotos millionenfacher Vernichtung millionenfach reproduziert worden. Verändert haben sich die Wirkungen dieser Bilder, auch gibt es heute keine Verbote derartigen Zeugnissen gegenüber. Inzwischen sind selbst visuelle Dokumente wie diese vielen nicht mehr eindringlich genug.

Einen großen Teil des Fundus, der diesem Bildband zugrunde liegt, bilden die Aufnahmen amerikanischer Soldaten, die sie im Lager «Kaufering IV» machten. Bilder furchtbar entstellter Körper. Die meisten Menschen reagieren mit Abwehr auf eine solche Flut des Entsetzlichen. In einer Ansprache an Führer der SS sagte Heinrich Himmler: «Von Euch werden die meisten wissen, was es heißt, wenn 100 Leichen beisammenliegen, wenn 500 da liegen oder wenn 1000 da liegen. Dies durchgehalten zu haben, und dabei – abgesehen von Ausnahmen menschlicher Schwächen – anständig geblieben zu sein, das hat uns hart gemacht.»
Bei der Veröffentlichung der Bilder von den Toten ohne Rücksicht zu verfahren könnte abermals von «Härte» zeugen und Gefahr laufen, die «Standhaftigkeit» der Täter anzunehmen. Wir suchten einen behutsamen Umgang mit den Bildern, beschränkten uns auf wenige, um so ihrer Instrumentalisierung entgegenzuwirken.
Das fotografierte Bild besitzt eine leblose und noch dazu auf ein Minimum reduzierte Materialität. Ein tausendfach vervielfältigtes Foto suggeriert die trügerische Allgegenwart einer Realität. Jedes Foto behauptet von sich, die Wahrheit wiederzugeben, es verbirgt seine Relativität.

Drei Tage nach Entdeckung des von der SS im April 1945 niedergebrannten Lagers schrieb der amerikanische Soldat Alvin Peterson an seine Eltern: «Als ich das Lager betrat, brannte alles. Die Deutschen hatten verzweifelt versucht, alle Spuren ihres Tuns zu beseitigen, aber zu ihrem großen Erstaunen waren wir schneller da, als sie erwartet hatten. Es gab viertausend männliche Gefangene, die die Nazis versucht hatten zu ermorden und zu verbrennen, und sie hatten sich auch bemüht, alle Spuren ihrer eigenen Existenz zu vernichten. Das war ihnen nicht völlig gelungen. Auf dem Boden zwischen den Baracken lagen Hunderte von nackten Körpern, nur noch Haut und Knochen, viele von ihnen entsetzlich verbrannt. Es gibt keine Worte, die diesen Anblick beschreiben können.»

Das erste Fotoatelier in Landsberg wurde zu Beginn dieses Jahrhunderts gebaut. Ein Gebäude mit Pultdach, versteckt in einem Hinterhof. Seit Jahren steht das gelbgetünchte Haus leer. Als ich es heimlich das erstemal betrat, hatte ich den Gedanken, Bilder für dieses Buch zu suchen. Wir hatten bereits Aufnahmen aus dem Archiv dieses Fotografen. Ich stieg durch Unrat, über die verfaulten Böden und die morschen Treppen hinauf unter das Dach, das ein großes Loch hatte. Die geöffnete Blende eines riesigen Fotoapparates, durch die der milchige Himmel einfloß. Dichtes Laubwerk hatte sich überall breitgemacht. Der Fußboden war von Moder und Moos bedeckt. Und auf diesem Grund waren – wie Fische in einem Tümpel – Fotografien verstreut. Von der Feuchtigkeit gerollt, zeigten diese Bilder ihr eigenes, langsames Sterben, einen Entwicklungsprozeß, der zu monströser Unkenntlichkeit führte: Farben, die zu Schreien und Flächen, die zu Wunden wurden. Der Dachboden war ein Laboratorium der Zeit und der Natur. Sonne, Regen und Schnee beendeten das gewöhnliche Dasein der Fotos und verwandelten sie von Abbildern des Lebens in einen organischen Teil desselben zurück. Schon vor einer solchen Rückverwandlung besitzen Fotografien naturähnliche Eigenschaften. Die Epidermis einer Fotografie kann wie die Haut eines Körpers Verletzungen aufweisen. Kratzer, Risse oder Unschärfen gestalten das individuelle Gesicht einer Fotografie.
Verschwommenheit kann das langsame Versinken (der Verbrechen) im Strom der Geschichte verbildlichen. «Ja, kann man ein unscharfes Bild immer mit Vorteil durch ein scharfes ersetzen? Ist das Unscharfe nicht oft gerade das, was wir brauchen?» fragt Wittgenstein. Der Abzug von ein und demselben Negativ bedeutet jedesmal eine Neuinszenierung und Veränderung des Motivs. Die Art des Papiers,

der Ausschnitt sowie Raster und Farbe bei einer Wiedergabe im Druck beinhalten oft ungewollte Manipulationen.
Die Fotografie besitzt die Kraft, eine Fiktion Realität werden zu lassen. Wieviel mächtiger, aber auch fragwürdiger ist dann erst die Wirkung bei ihrer Darstellung wahrer Ereignisse?

Martin Paulus

Die Herausgeber danken:

Raymond Allen, Toby Axelrod, George Backus, John Berger, Julius Bernstein, Nella Bielski, Kenneth Bradstreet, Delbert Bundy, Barbara Distel, Ottmar Eisenschink, Julius Eisenstein, Ibi und Waldemar Ginsburg, Robert J. Hartwig, J. Paul Heineman, Irving Heymont, Elke Kiefer, John P. Leary, Anton Lichtenstern, Albert L. Lipschultz, Bernard Marks, Hartfrid Neunzert, Elisabeth Palm-Baumann, Abraham J. Peck, Heinrich Rakocz, Franz Reiter, Helmut Ruse, Julien D. Saks, Rudolf Schmidt, Shlomo Shafir, Alvin Twitchell, Edna S. Wilson, Joseph Wright

Dieses Buch entstand mit Unterstützung der Stadt Landsberg am Lech.
Ein besonderer Dank gilt Ernst Raim.

Photograph courtesy of American Joint Distribution Committee Archives, New York, USA, S. 160, 161

Collection of Toby Axelrod, New York, USA, S. 110, 111

Bayerische Staatsbibliothek, München, Fotoarchiv Hoffmann, S. 72, 95, 135

Julius E. Bernstein, Riverside, USA, S. 130

Beth Hatefutsoth Museum of the Jewish Diaspora, Tel Aviv, Israel, Zvi Kadushin Collection, S. 27, 158, 162, 172f.

Bilderdienst Süddeutscher Verlag, München, S. 14, 139, 140, 141, 143, 145, 146, 147

DPA, Frankfurt, S. 205

Ottmar Eisenschink, Landsberg, S. 181 re, 193

Waldemar und Ibi Ginzburg, Elland, UK, S. 152, 169

Irving Heymont, Alexandria, USA, S. 6

John P. Leary, Atwater, USA, S. 197

Albert L. Lipschultz, Delray Beach, Florida, USA, S. 131, 132f.

Martin Paulus, Landsberg, S. 56, 60, 64

National Archives Washington D.C., USA, S. 22 (111-SC-266481), S. 117 (111-SC-205484); S. 119 (111-SC-205465) und (111-SC-205466); S. 124 (208-AA-206N-1); S. 126 (208-AA-206N-8); S. 127 (208-AA-206N-7); S. 129 (111-SC-207728); S. 134 (111-SC-208388); S. 135 (111-SC-221895); S. 136 (111-SC-205467); S. 137 (111-SC-237732); S. 138 (111-SC-221656); S. 148 (111-SC-205469); S. 154f. (111-SC-220485); S. 157 (111-SC-220482); S. 174 (111-SC-265478); S. 182

Elisabeth Palm-Baumann, Kronberg, S. 202, 203

Bildarchiv Preußischer Kulturbesitz, Berlin, S. 13

Heinrich Rakocz, München, S. 176, 178, 179, 180

Franz Reiter, Landsberg, S. 73, 103 Fotograf J. Mutter, 206, 207, 208f.

Stadtarchiv Landsberg, S. 12, 16, 29, 88, 89, 92, 97, 98f., 104f., 120, 121, 181 li, 185, 186, 187, 188, 189, 200, 204; Fotograf J. Mutter S. 106f., 108

Alvin Twitchell, Alexandria, Virginia, USA, S. 201

Ullstein Bilderdienst, Berlin, S. 96, 142, 144

Courtesy of the U.S. Holocaust Memorial Museum, Washington D.C., USA, S. 122f., 125, 168; / National Archives, S. 156; / George Kadish, photographer, S. 159, 163, 166, 171; / United Jewish Appeal, S. 167

United Nations, New York, USA, S. 164, 210

Edna S. Wilson, Durham, North Carolina, USA, S. 196

Joe Wright, Ocala, Florida, USA, S. 150, 151
Yad Vashem, Jerusalem, Israel, S. 190f., 195
YIVO Institute for Jewish Research, New York, USA, S. 149, 153, 165, 170, 175, 177
alle übrigen Privat, Landsberg

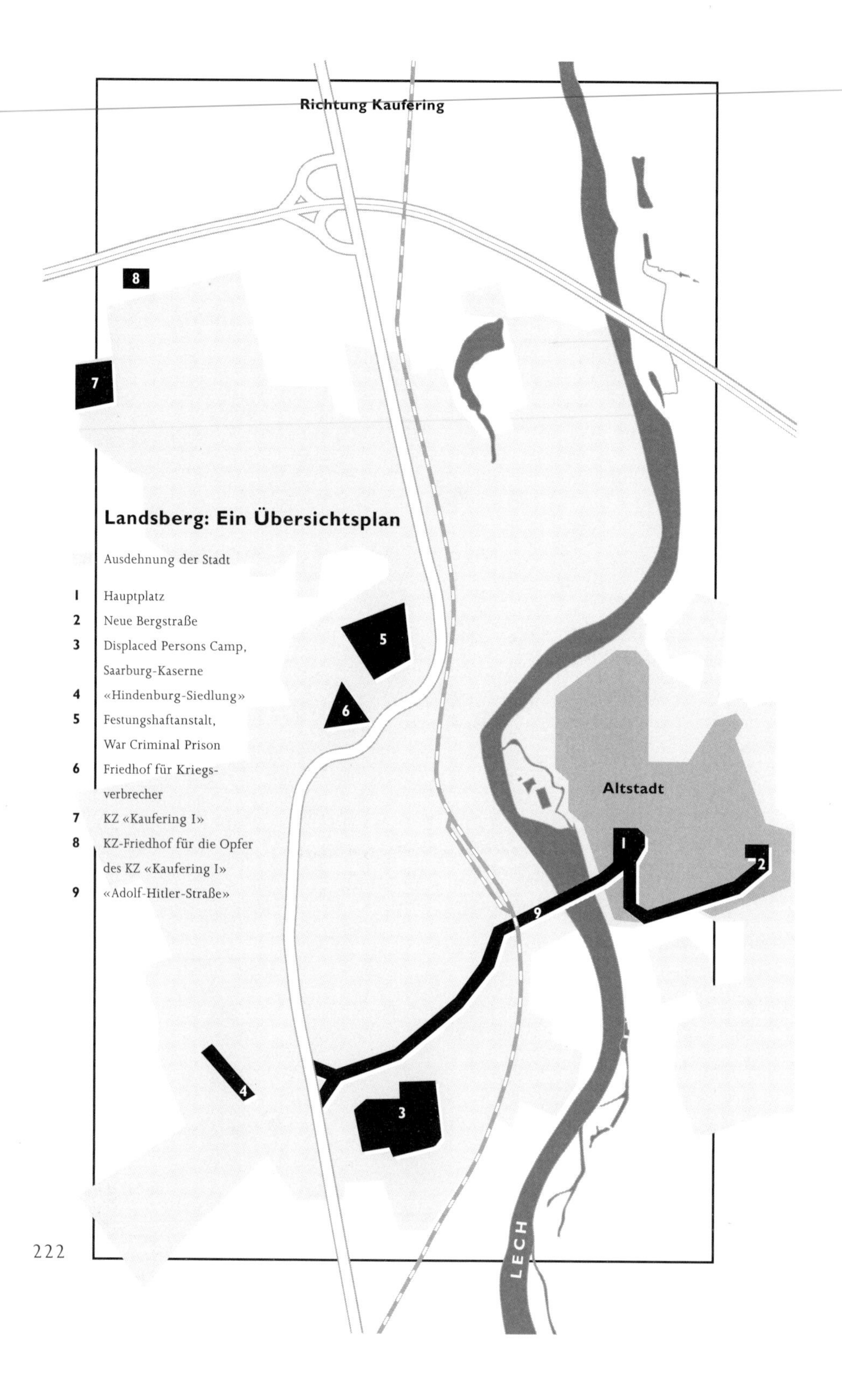
Richtung Kaufering
8
7
Landsberg: Ein Übersichtsplan
Ausdehnung der Stadt
1 Hauptplatz
2 Neue Bergstraße
3 Displaced Persons Camp, Saarburg-Kaserne
4 «Hindenburg-Siedlung»
5 Festungshaftanstalt, War Criminal Prison
6 Friedhof für Kriegsverbrecher
7 KZ «Kaufering I»
8 KZ-Friedhof für die Opfer des KZ «Kaufering I»
9 «Adolf-Hitler-Straße»
5
6
Altstadt
1
2
9
4
3
LECH

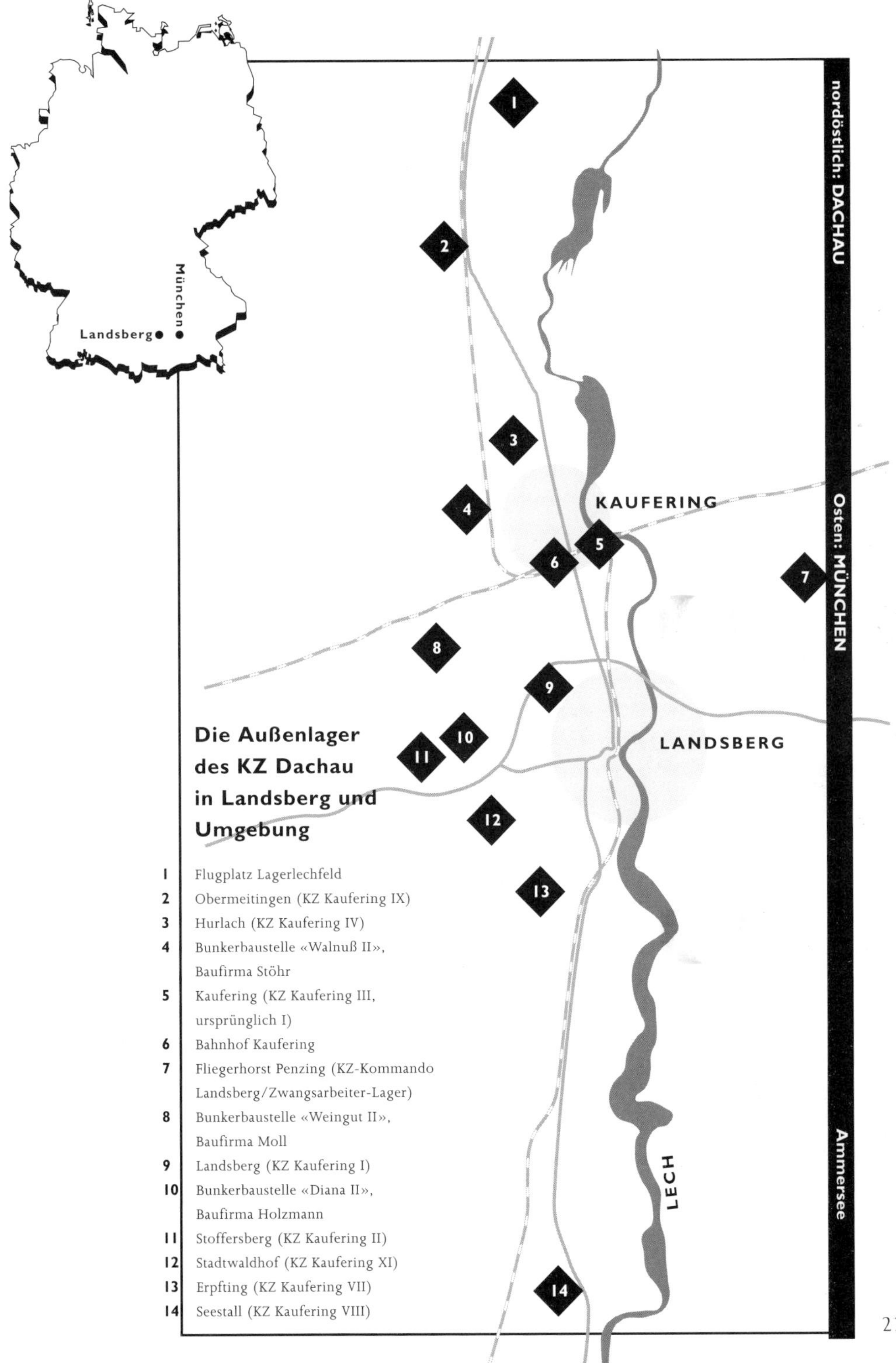

München
Landsberg
nordöstlich: DACHAU
Osten: MÜNCHEN
Ammersee
KAUFERING
LANDSBERG
LECH
1
2
3
4
5
6
7
8
9
10
11
12
13
14
Die Außenlager des KZ Dachau in Landsberg und Umgebung
1 Flugplatz Lagerlechfeld
2 Obermeitingen (KZ Kaufering IX)
3 Hurlach (KZ Kaufering IV)
4 Bunkerbaustelle «Walnuß II», Baufirma Stöhr
5 Kaufering (KZ Kaufering III, ursprünglich I)
6 Bahnhof Kaufering
7 Fliegerhorst Penzing (KZ-Kommando Landsberg/Zwangsarbeiter-Lager)
8 Bunkerbaustelle «Weingut II», Baufirma Moll
9 Landsberg (KZ Kaufering I)
10 Bunkerbaustelle «Diana II», Baufirma Holzmann
11 Stoffersberg (KZ Kaufering II)
12 Stadtwaldhof (KZ Kaufering XI)
13 Erpfting (KZ Kaufering VII)
14 Seestall (KZ Kaufering VIII)

Die Autoren und Herausgeber

John Berger (geboren 1926 in London), hat Kunstgeschichte studiert und lebt in den Bergen von Savoyen. Er ist Kunsthistoriker, Romancier und Drehbuchautor, war Maler und Zeichenlehrer.

Nella Bielski (geboren während des Zweiten Weltkrieges in Sinelnikowo), Studium der Philosophie in Moskau, lebt seit 1962 in Paris. Dort machte sie sich einen Namen als Romanschriftstellerin. Zusammen mit John Berger schrieb sie mehrere Theaterstücke und Drehbücher.

Irving Heymont (geboren 1918), Oberst der US-Armee, war zwischen September und Dezember 1945 erster Leiter des Landsberger DP-Camps. Er lebt in Alexandria, Virginia.

Martin Paulus (geboren 1961 in Landsberg), Studium an der Akademie der Bildenden Künste in München. Arbeitet als freischaffender Künstler, Ausstellungen im In- und Ausland.

Abraham J. Peck (geboren 1946 in Landsberg) ist Leiter der «American Jewish Archives» in Cincinnati, Ohio, und befaßt sich als Historiker insbesondere mit Displaced Persons und der unmittelbaren Nachgeschichte des Holocaust.

Edith Raim (geboren 1965 in München), studierte Geschichte und Germanistik in München, promovierte mit einer Arbeit über die Dachauer KZ-Außenlager in Kaufering und Mühldorf. Sie ist Lektorin des Deutschen Akademischen Austauschdienstes in Durham, Großbritannien.

Gerhard Zelger (geboren 1959 in Herrsching), studierte Sozialpädagogik in Regensburg und München, Sozialwissenschaften an der Fernuniversität Hagen. Er ist tätig in der Erwachsenenbildung und Asylarbeit.